Godofredo de Oliveira Neto

Amores exilados

EDITORA RECORD
RIO DE JANEIRO • SÃO PAULO
2011

CIP-BRASIL. CATALOGAÇÃO-NA-FONTE
SINDICATO NACIONAL DOS EDITORES DE LIVROS, RJ

Oliveira Neto, Godofredo de, 1951-
O48a Amores exilados / Godofredo de Oliveira Neto. – Rio de Janeiro: Record, 2011.

ISBN 978-85-01-08907-6

1. Romance brasileiro. I. Título.

11-4394 CDD: 869.93
CDU: 821.134.3(81)-3

Publicado anteriormente com o título *Pedaço de santo*

Capa: Carolina Vaz

Imagem de capa: Fabio Arruda

Texto revisado segundo o novo Acordo Ortográfico da Língua Portuguesa

EDITORA RECORD LTDA.
Rua Argentina 171 – 20921-380 – Rio de Janeiro, RJ – Tel.: 2585-2000

Impresso no Brasil

ISBN 978-85-01-08907-6

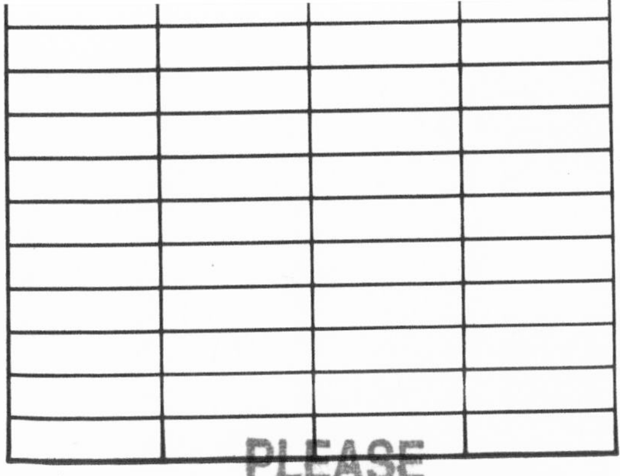

Para Samira Nahid de Mesquita,
in memoriam

Para não sentires o terrível fardo do Tempo
que te curva os ombros, embriaga-te sem parar.
De vinho, de poesia, de virtude.

Baudelaire — Spleen de Paris

E adeus caminhos vãos, mundos risonhos,
Lá vem a loba que devora os sonhos,
Faminta, absconsa, imponderada, cega.

Cruz e Sousa — Ironia de lágrimas

Mas não vivi isolado no mundo, tinha a clara ideia do dever.
Dever esse que, correto ou não, foi o tronco da árvore
em que me segurava nos momentos de tempestade,
vacilava, me agitava, afinal eu era um ser humano...
mas não fui carregado.

Stendhal — O vermelho e o negro

1

A ESSA HORA MURIEL deve estar dentro da banheira de espuma. Lázaro também sabia que ela tinha o hábito de ficar por largo tempo de bruços na água, apoiada nos cotovelos, tirando a cutícula das unhas e meneando os quadris e uma cauda imaginária. Lázaro chamava-a de Muriel Melusina, achava eufônico. Fábio Antônio Nunes dos Santos pensava em Muriel, banho de espuma, revolta popular, guerrilha, exílio, identidade brasileira e utopias enquanto subia os últimos degraus que faltavam para alcançar a calçada de asfalto e os paralelepípedos da Place d'Italie. Galgava os degraus de dois em dois. Se no final desse par seria outro homem — chega de luta armada, de mundo melhor, a partir de agora vou viver só para mim. Caso, no alto da escadaria do metrô, sobrasse apenas um degrau, a coisa mudava de figura, sinal de que ia ser difícil assumir por dentro o seu novo projeto de vida. Ímpar é sinônimo de desequilíbrio!

Não deu nem uma coisa nem outra. O árabe que vassourava as escadas e se preparava para trancar as portas da estação do metrô interrompeu a trajetória do sonhador supersticioso e tornou sem efeito o jogo par-ímpar.

Fábio voltava do que deveria ter sido uma reunião da Aliança Socialista Libertadora — ASL, na casa de Lázaro. Não aconteceu porque, na última hora, ninguém pôde vir. O encontro acabou se transformando numa conversa de futilidades; as figuras presentes colaboraram para isso: Getúlio (a cara do ex-presidente, cearense há quinze anos em Paris zanzando pelos corredores da Sorbonne) e dois argelinos vizinhos de Lázaro que não tinham nada a ver com nada mas que frequentavam com assiduidade aquela casa sabe-se lá por quê. O próprio Lázaro, talvez para fugir da solidão, os convidasse. Mesmo sem a presença da militância, as reuniões naquele apartamento — no sétimo andar, sem elevador, era mais um grande quarto dividido ao meio do que realmente um apartamento — acabavam, para Fábio, em discussão, quando não em briga. Dessa vez foram os quatro contra ele. Lázaro — porte de imperador africano (só que mais magro!) e modéstia de sacristão — sempre fazia aliados. O que a Farida e o Khaled podem saber de cultura brasileira? O que argelino pode saber sobre o que é ser mais brasileiro? Dois quase analfabetos e alienados políticos, e o Lázaro dando corda! *Pour nous, Bahia c'est le Brésil,* diziam olhando para o baiano, a cabeça balançando de um lado para o outro (o gesto parecia dizer o contrário). Contavam passar férias naquelas praias do Brasil, só faltavam os francos! Pior ainda foi o próprio

Lázaro: "Ô Catarina!, o meu Vitória foi campeão baiano do ano passado, tem time de futebol em Florianópolis?" E o Getúlio: "Você tem cara de italiano do Norte ou austríaco, Fábio, esse cabelo castanho claro, liso até os ombros, olhos azuis, rosto fino, cara de Cristo tirolês, pode crer, Cristo tirolês, não parece brasileiro, nego veio! Eu e o Lázaro, sim". O sósia do ex-presidente da República entoara a frase às gargalhadas, a cabeça fazendo um meio círculo para trás, como se fosse rolar costas abaixo. E continuara: "O Sul não é Brasil não; teve Lampião e Maria Bonita lá? Tem baião de dois e xaxado? Não? Então!" Devia ser a simpatia do Lázaro.

Lázaro da Costa Costa (dizia que o pai e a mãe tinham sobrenomes iguais), jeitão bem baiano, sempre dando a impressão de que sentia menos falta do socialismo utópico do que do acarajé, conseguia mesmo seduzir. Mas um dia o amigo ia acabar por compreender que existem coisas importantes, que justificam até eventuais desvios ideológicos; coisas importantes, como o cheiro dos espaços guardados e oferecidos secretamente por uma mulher ao verdadeiro amante há tempos esperado; fendas íntimas distendidas ao influxo do desejo e dos líquidos ansiados em sonho nas noites solitárias e subitamente realizados com a junção das forças do companheiro em carne e osso paciente e respeitoso da parceria dos sucos e dos sons. "Lázaro um dia vai acabar por conhecer esses momentos com alguma mulher. Ele tem que saber o que é o prazer real, somado, gozado. Será outro homem", pensou Fábio.

"Sabe o quê? Vou mudar de vida! Passar de um tipo romance fantástico a uma vida realista; talvez da privação à posse. Minha vida é um sonho, um mito e um jogo. Foda-se o Lázaro. Conheci Anelise, Elke, Glorinha e a Muriel agora está comigo. Ele conheceu alguém pra valer?", ainda se perguntou o catarinense ao enxergar as antenas de televisão no alto dos prédios da Place d'Italie. Da estação do metrô até o seu edifício andava-se mais ou menos setecentos metros. Lá no oitavo andar esperava-o Muriel. É o que importava. Com ela uma nova vida, um novo romance. Ele a compreendia. O seu jeito algo enigmático talvez fosse um simples traço de civilização. A infância na neve da Auvergne, a renda familiar modesta, a vida difícil. Os brasileiros deviam entender isso, mas não, só viam exterioridades. O corpo atraente, os traços perfeitos. "Que diabo! Te amo, Muriel, te amo", os passos iam se acelerando, o amor e o frio na bexiga puxando, o vento arrancava lágrimas dos olhos — não soube se chorou junto. "Eu enfiado num buraco e não sabia; buraco de tatu, furo de cupim, toca de raposa, caverna de urso, sei lá! Mas que estava enfurnado estava!"

O elevador parado. "Quebrou, excesso de peso, estrangeiros em demasia morando nesses prédios", alguém comentou. "Tem que subir a pé", disse Fábio à rabugenta que falava.

Já no Rio, em 69, Muriel, nós nos conhecíamos de alguma maneira, é como se você estivesse lá comigo, a minha prisão em Copacabana, fui seguido até o Posto 6, depois as dores, os medos e as tremedeiras de baixo pra cima nos porões da rua da Relação; é melhor contar tudo, ô comuna!, senão vai ser pior!, este documento é teu mesmo?, dá outra porrada, ô Jô!, Wallace de Souza Santos, natural de Vitória, Espírito Santo, é você? Diz a verdade, ô meu, amanhã a gente vai perguntar pra polícia capixaba; se essa carteira de identidade for falsa você vai pagar; a perda de consciência, a água fria, leva ele pra DP do Estácio, ô Joalberto, senão pode vir a OAB aí encher o saco; amanhã de manhã cedinho quero ele aqui de volta; a transferência para a cela do Estácio, no meio de presos comuns, o carcereiro em plena madrugada abrindo discretamente a porta da cela e depois indo displicentemente para o banheiro, o dinheiro do chefão da favela do Sapoti deve ter sido alto, no dia seguinte ele diria que foi imobilizado por bandidos que invadiram a delegacia; e eu solto, na rua, aproveitando a fuga de ladrões, estupradores, assassinos; a liberdade na madrugada do Estácio, a cabeça estourando, as tripas como rasgadas, pra que lado ir agora, que direção tomar?

Fábio mal se deu conta de que chegava ao oitavo andar. Não encontrava a chave na bolsa. Apertou a campainha. Muriel, de camisola de seda azul, sempre muito curta, toalha na cabeça envolvendo os cabelos ainda molhados, uma lixa de unhas na mão, entreabriu a porta. Do forno da cozinha vinha cheiro de carne assada com *herbes de Provence.* Muriel ouvia Geraldo Vandré num disco emprestado por Lázaro.

Naquela noite os dois dormiram cedo. Fábio teve um sono agitado. Depois disse que sonhara com igrejas. De fato. A nave se abria aos seus desejos. Os nichos resplandeciam. A massa humana compacta amortecia o ruído dos saltos dos sapatos no corredor central. Sorria. A massa sorria. Sorria com os santos. Os santos se comprimiam atrás da massa. Os losangos pretos do mármore se arredondavam sob a sola dos seus sapatos pontudos. O corredor longo. Os missais sobre os bancos de madeira escura se abriam à sua passagem. E lá estava ela, logo abaixo do altar, um cálice dourado nas mãos, os lábios sensuais molhados e vermelhos do sangue sagrado pecaminosamente engolido, um filete ainda escorrendo pela boca, pelo pescoço, invadindo a intimidade do seu colo por sob a loba engomada, preenchendo-lhe o umbigo, deslizando pelo ventre tenso, acariciando-lhe o púbis, ziguezagueando por entre pelos e rugas rubras e estancando num visgo impetuoso e estuante. O corredor central não acabava. E ela continuava lá. Alguns degraus abaixo do altar. Abria os braços e dizia vem, vem. Eram os lábios, os cabelos e os olhos de Muriel, mas o rosto parecia de outra.

Os temperos provençais já eram passado. Na manhã seguinte acordara-o um cheiro de torrada e de café. Muriel o tinha prevenido, na véspera, que apresentaria um seminário, cedo, na Universidade. Um dos seus últimos trabalhos no mestrado. Ia falar sobre Mnemósine no curso Mitologia e Literatura Ibérica. Inconcebível chegar atrasada. Já estava toda vestida, quase encouraçada. Só lhe coube, a ele, um *au revoir, mon amour,* de longe, e a porta se fechando.

2

DOR DE FÍGADO BICADO. Jogar tudo fora, uma boa lasca ia junto, um bom pedaço dele desaparecia, mas valia a pena, Muriel Melusina valia a pena.

— Fábio? / É, pode falar. / É o Lázaro. Estou telefonando do *Le Monde*. A Françoise continua dando cobertura à gente aqui no jornal, mas parece que vai mudar o pessoal da redação. Ela vai ser correspondente na Espanha. A última matéria dela sobre a tortura em São Paulo não saiu, não se sabe a razão. / Pra nós vai ser péssimo, Lázaro. Quem vai pro lugar dela? Se for aquele pulha do Jean-Yves a gente tá mal. / Não sei, falam no Sylvain, que é um cara mais aberto./

Lázaro deu a entender que devia desligar, alguém precisava do telefone. Voltaria a ligar em seguida. Fábio aproximou-se da janela. A vidraça úmida, gelada. A calefação da sala não lograva compensar o frio vindo do exterior. Temperatura abaixo das normas da estação, dizia o rádio.

Paris escondia-se sob uma névoa rala. Talvez fosse esse céu esbranquiçado passando a chumbo que afogava as alegrias; que deprimia. Agora que Lázaro desligou dava tempo para pensar nas longas viagens da infância de ônibus, em Santa Catarina, até Santo Antônio de Lisboa para visitar o altar de madeira da igreja de Nossa Senhora das Necessidades — olha, Fabinho, meu filho, veio de Portugal, é todo esculpido à mão, você um dia vai ser marceneiro e artista; pensar nas horas passadas na catedral de Florianópolis com o pai diante da *Fuga do Egito,* a mão frágil congelada dentro da mão paterna petrificada, o medo do olhar fixo do progenitor nas reentrâncias do trabalho de madeira, fugindo de quê? Ele se lembra que eu estou aqui? — "Pai, o pai está apertando muito a minha mão!" — "Desculpa, meu filho, desculpa, vamos lá fora sentar num banco embaixo da figueira e comer puxa-puxa"; dava tempo de pensar no adro oxigenado, no mar libertador envolvendo a sua infância insular. À cerração que pairava sobre a cidade se acrescentava o vidro embaçado pela respiração de Fábio. Paris se diluía, se volatizava. Mas era fácil imaginar lá embaixo os passos angustiados e automáticos dos pedestres. Pessoas andando como sonâmbulas, a expressão tensa, crispadas, pelas calçadas do mesmo tom da rua e da mesma cor do céu; essa impressão de se viver num casulo de asfalto. Talvez elas fossem em direção ao túmulo imaginário que lhes cabia de direito. Qualquer relacionamento humano já não fazia o menor sentido. O sonho de um Brasil mais justo tampouco, claro. Era quase uma excrescência, um luxo de imigrantes sonhadores.

Lázaro ia voltar a ligar.

Dez minutos depois o telefone tocou novamente na casa de Fábio e Muriel.

— Sou eu, mano. A Françoise está redigindo uma matéria sobre Cuba. Foi ela que cobriu o encontro Krouchtchev-Eisenhower no início dos anos sessenta.

— Aproveita, Lázaro, e diz pra ela que a burocracia do Kremlin colaborou pra que a real revolução cubana não se concretizasse. A Françoise é do Partido Socialista Francês, ela é útil pra gente mas só até um certo ponto. O Marighela participou da primeira conferência da OLAS em Havana, contra as ordens do PCB, e deu esse recado.

— Eu sei, vou ver se ela faz uma análise mais ideológica — replicou Lázaro.

— Ela tem que escrever que o movimento das massas operárias e camponesas de tomada plena do poder em Cuba foi bloqueado. A criação de um partido único em sessenta e um dissolveu as milícias e pôs no lugar um exército stalinista apoiado por Moscou. Os privilégios imperam. Uma casta vive na maior abundância enquanto o povo passa fome. E foi a luta do proletariado que criou as condições pra tomada do poder; os operários e os camponeses acabaram escorraçados desse poder pelos stalinistas. Exatamente em 26 de maio do ano passado Nixon e Brejnev assinaram um acordo sobre mísseis nucleares. E você acha que os acordos são só sobre isso?

— Certas coisas não passam no jornal nem na porrada, Fábio.

— Eu sei, eu sei, mas não custa propor. Manda esses caras lerem o Programa de Transição.

— Vou tentar convencê-la a escrever que o papel a ser desempenhado pelas massas operárias foi riscado do cenário; que hoje o poder em Cuba é contrarrevolucionário, coisas assim.

— É por aí, Lázaro, é por aí.

— Vou ter que desligar, mano. E a Melusina?

— Quem?

— A Muriel.

— Está bem, mas acho que não vai fazer o trabalho sobre literatura portuguesa do século XVI, pretende trabalhar literatura de cordel com um especialista da Sorbonne. Por que você está perguntando?

— Por nada, diz que eu mandei um abraço com muito axé pra ela.

— Vou dizer, vou dizer, pode deixar.

Fábio desligou resmungando. O prazer secretado do acordo dos calores e das transpirações trânsfugas dos amantes e dos acordes trabalhados ao ritmo do diapasão desbussolado por sensações sinceras divididas, acumpliciadas, consentidas — "Lázaro sabe o que é isso?" Mas o baiano conhecia muito bem Muriel; sabia que dela se ansiava sempre um arrebentar monumental de membranas úmidas e o expelir de um sêmen precioso e misterioso, que não vinha, mas cuja viscosidade, cor e perfume se delineavam e agigantavam na imaginação do amante; era a essa mulher que Lázaro mandava um abraço com muito axé.

3

Muriel Sandrine Charlotte Leroux, 26 anos, era formada na Universidade de Paris III em Português — Brasileiro, como dizia. Tinha sido excelente aluna, gostava particularmente de ler romances. Lázaro citava-a como exemplo para falar maravilhas do ensino público francês: "A Muriel teve uma infância pobre e complicadíssima na sua cidadezinha de Saint Bonnet de Salers, mas o colégio público na França é igual pra todos. Ela foi a melhor na faculdade depois." Da literatura em língua portuguesa, Muriel dizia que respeitava Camões, Machado de Assis, Cruz e Sousa (tinha boas razões), Fernando Pessoa, Graciliano e Guimarães Rosa. Mas só. Fábio e Lázaro discordavam e a tachavam de preconceituosa, pois se recusava a encarar seriamente outras obras escritas em língua portuguesa — pô, nem o Eça? Muriel adorava música brasileira (que alternava com Beethoven e Vivaldi). Vivera, já graduada na Sorbonne, dois anos entre Salvador e Porto Seguro e um ano em Florianópolis. Na capital catarinense tinha morado com um músico que se dizia descendente de Cruz e Sousa. Baseado nos textos do seu conhecido parente ele criara o Batuque Emparedado. Muriel gostava de contar isso. "Vi nascer um ritmo e uma dança, eu, com os meus olhos e os meus ouvidos!" O sujeito parece que depois passou a beber muito, a se drogar pesado e a bater nela. O ritmo e a dança acabaram murados para sempre. Mas essa última avaliação — os tapas do descendente de Cruz e Sousa foram mexericados pelo Lázaro — ela não fazia. Só se lembrava, pelo menos da boca pra fora, das coisas boas da vida. Muriel quase nunca falava de seu passado.

Havia nela defeitos, lacunas e cacoetes. Agora, ela tinha uma coisa, era lindíssima! Cabelos negros espessos — todo brasileiro em Paris dizia que ela era a Iracema da Gália (a maioria, no entanto, nunca tinha lido Alencar, preferiam Gramsci, Hegel, Weber, Engels, Marx) —, olhos enormes entre verde e azul como o fundo das piscinas, e um corpo monumental (alguns, que também não tinham lido Machado, diziam que o corpo dela era como o da Capitu).

Uma prima de Muriel relatara a Lázaro um fato dramático envolvendo a companheira francesa. Era do conhecimento geral no vilarejo natal de Muriel Melusina, entre Clermont-Ferrand e Aurillac, em pleno Maciço Central francês, que a mãe assassinara o marido quando Muriel tinha sete anos. Foi a própria pequena que, para a mãe, a induzira ao assassinato de seu marido. Uma dose de veneno para ratos — imposto pela família — acabou com o homem bêbado que lhe tinha caído como chumbo nas costas, no colo, nos ombros e entrado como um furacão na sua vida, na sua alma, no seu sossego, nos seus sonhos — só não na sua perereca, zombava Lázaro. O homem de macho mesmo não tinha nada, o bicho era impotente. Muriel era na verdade filha de um grego foragido da penitenciária que passou uma noite escondido na casa da sua família. "Ela sabe tudo mas finge que não", explicava Lázaro. "Talvez por conta das difíceis relações familiares ela teve uma vida sexual meio depravada na adolescência e era conhecida nas festas e alcovas de Clermont-Ferrand e Aurillac. Um dia, nós estávamos saindo do teatro do Odéon, falei um pouco com ela sobre tudo isso, Fábio. Ela calou. Mas seus olhos enviaram setas envenenadas aos meus, senti isso, mano, senti isso". Fábio julgava que era um pouco de despeito do amigo no momento difícil da separação ou, quem sabe, mentira da prima, ou, até, do próprio sacana do baiano! "Tem dia em que ela é tipo vagina dentada, Fábio, te cuida! Vai devagar na dialética do desejo", alertava Lázaro!

Naquela madrugada, quase clareando o dia, no Estácio, eu fui direto pra frente do Instituto Félix Pacheco, fiquei encostado no muro, dezenas de Veraneios, Rural Willys e Fusquinhas se cruzavam como baratas tontas, a sirene ligada, e eu ali, nunca iam imaginar que um dos foragidos fosse se plantar naquele lugar, diante do Instituto de identificação, eu meio tonto, barbado, os ouvidos doendo, uma tremedeira no corpo vindo de baixo pra cima, devia estar parecendo um mendigo, tinha perdas momentâneas de memória, como flashes, depois fui andando em direção ao Catumbi, passei ao lado do presídio da Frei Caneca; alguém me guiava, só podia!

"Será que ela fica pensando nessas coisas na banheira quando balança a cauda imaginária? Esse interesse por facas de cozinha — 'gostaria de ter uns cinquenta faqueiros' — terá algum significado? O olhar no infinito através da janela embaçada do quarto?" Fábio meditava. Sim, Muriel seduzia, as pernas pecavam, os lábios pecavam, o andar pecava, os olhos, a saliva, a voz, porra! o que não pecava nela? A revolução socialista neutralizava, lutava, reagia, mas cedia, quem conseguia competir com Muriel Melusina, quem? "O baiano deve estar inventando coisas", disse o catarinense, certa vez, a Muriel numa frase descontextualizada e sem precisar o conteúdo da invenção do seu colega de organização. Esse Lázaro que, segundo todas as opiniões femininas, fazia tremer de desejo as mulheres de qualquer idade, o exemplo perfeito da mistura ibérica e africana. Fernanda, uma das companheiras da ASL baiana e colega de faculdade de Lázaro na UFBa, contara detalhes (Fernanda foi selvagemente torturada e assassinada nas dependências do DOPS, em São Paulo, em 1971). "Um manequim, de longe o cara mais lindo da faculdade e, como se não bastasse, ainda é o mais inteligente", comentavam, entre sorrisos licenciosos, as calouras nas aulas de Educação e Política do Brasil, quando Lázaro desmontava peça por peça o discurso do professor com cara de militar aposentado. Fernanda *dixit*. Para as mais recatadas de Salvador, referindo-se à cor caramelada de Lázaro, ele despertava desejos açucarados (daí o seu apelido Doce Caramelo, como algumas o conheciam). Fernanda deve ter sido uma das que sentiram esse desejo, tal a frequência com que se referia a Lázaro nas reuniões da ASL no Rio.

"Mas que ele deve estar inventando coisas, deve. Agora, por estar de amores com uma médica e psicóloga, Lázaro incorporou ao vocabulário um número incrível de palavras novas. Vai com a médica assistir a palestras e reuniões em Jussieu e na Sorbonne. A psicanálise para ele antes era coisa de burguês e de bicha. O socialismo ia nivelar tudo por cima. Movimento feminista, homossexual, negro, indígena e quejandos, tudo besteira! A igualdade aniquilaria os preconceitos raciais, culturais e sexuais. Todo mundo ia ser feliz. (Ele repetia como um papagaio o que uma ex-namorada do Brasil, líder estudantil, lhe tinha ensinado.) Mas no momento anda misturando bobó e xinxim com *wunschphantasien*, assim mesmo, em alemão, já pensou, Muriel?", comentou, irônico, Fábio, com a companheira num almoço dominical no apartamento da Place d'Italie. "Ontem ele me disse na despedida: Lê *Le Balcon*, do Jean Genet, ô Catarina, é um tratado sobre o caralho!, e só respondi: Está bem, vou ler, ô baiano! Acho que ele está ficando meio doido", continuou Fábio já em plena sobremesa.

Muriel limitou-se a dizer: "O Lázaro é muito especial".

No sistema de rodízio trimestral cabia ao baiano, em maio de 73, a coordenação das reuniões da Aliança Socialista Libertadora. Para alguns ele problematizava, para outros emporcalhava com tintas psicanalíticas as análises políticas. "E tem mais, Fábio, quando querem me impressionar sabendo de cor todos os capítulos d'*O capital,* eu sapeco *wunschphantasien* em cima, neguinho fica babatando no escuro", reagia o militante baiano às críticas do companheiro catarinense.

Nesse mesmo domingo em que se referiu exaustivamente à imersão psicanalítica por que passava seu companheiro de organização, Fábio jantou com Muriel num restaurante chinês do bairro. Por volta das dez horas da noite já estavam em casa. Tiveram que, uma vez mais, subir os oito andares pelas escadas frias, de cimento sem pintura, com inscrições — do político ao obsceno — nas partes mais visíveis das paredes.

A calefação do apartamento estava em pleno funcionamento. O calor vinha do chão. Fábio esticou-se, de costas, sobre o tapete vinho com losangos negros da sala. Muriel trocava de roupa no quarto ao lado. Conversavam sobre as vantagens e desvantagens do tipo de aquecimento do prédio. Ela, apenas uma leve camiseta a cobrir-lhe o corpo, aproximou-se. O seu companheiro, num movimento com as pernas, ainda deitado, ergueu os joelhos, os dois pés colados no chão e sussurrou algo como um convite. Muriel prendeu os cabelos com as mãos sobre a cabeça, afastou as pernas e sentou-se, de frente, os olhos fitos, sobre os joelhos do amante. As mãos continuavam segurando os cabelos. Mexia-se como se acompanhasse uma música lenta. Os movimentos foram se intensificando. O ritmo mais rápido. Fábio a examinava. Ela agora olhava o vidro da janela fechada. Sua imagem se refletia. A respiração cada vez mais forte. Uma campainha tocou. Muriel levantou-se, os cabelos se esvoaçaram. Atendeu ao telefone. Falou algo em francês, com certa agressividade, apagou a luz da sala e voltou. Erguia-se, agora, diante do seu companheiro. Parecia imensa. A camiseta mal lhe cobria metade do corpo. A luz da cozinha iluminava tenuemente suas formas níveas. Continuava em pé, a olhar o amante, como a esperar uma convocação. Fábio levantou os dois braços. Ela sentou-se e reiniciou os movimentos. A janela já não refletia o seu rosto, apenas um pedaço do armário de parede da cozinha se reduplicava no canto da vidraça da sala. Os cabelos soltos da Iracema gaulesa acompanhavam em sentido contrário o movimento do seu corpo. Ela passou a dizer coisas baixinho, que Fábio tentava adivinhar. Era um nome comprido, tinha uma sílaba a mais que o dele. Só podia ser o de Lázaro! Ele era muito especial! Fábio fez menção de levantar-se, Melusina ergueu-se. Ele ainda demonstrou claramente ar de enfado e de contrariedade. Muriel retirou-se apressadamente e se trancou no banheiro.

4

A REUNIÃO SEGUINTE foi na casa de André, em Senlis. André, da ASL de Recife, exilado na França, casara com uma médica ginecologista francesa e morava em Senlis. Era a quarta vez que, sempre em fins de semana, a ASL — ampliada, como diziam — se reunia nessa cidade ao norte de Paris. Para muitos Senlis era tipo uma Paraty do Hemisfério Norte. Faltavam-lhe o mar azul, os coqueiros, os papagaios, os índios, as traineiras, as casas coloridas do ciclo do ouro, a pimenta, as pedras das ruas, a seresta, o caldinho de feijão amigo e a cachaça; em contrapartida sobravam à cidade francesa séculos de história, o gótico e a majestade da catedral do século XII (o descompasso numérico entre os atributos de Paraty comparado com Senlis é compreensível, a saudade dificulta a imparcialidade).

A casa de André e Brigitte era bastante ampla; sala com lareira, jardim com duas cerejeiras e horta, sala de jantar com uma grande mesa em torno da qual se debatiam teorias, resenhavam-se obras, propunham-se ações, cotejavam-se estratégias políticas ao som de Léo Ferré, Jacques Brel e Chico Buarque. Sempre se discutia muito. "O golpe de estado de Barrientos na Bolívia e de Castelo Branco no Brasil — aliás, não é uma coincidência que tenha sido no mesmo ano —, a intervenção americana em São Domingos no ano seguinte e o golpe de 1966 na Argentina, por Ongania, foram feitos a partir da política de coexistência pacífica entre a burocracia stalinista e o imperialismo americano declarada em 63", ensinava, didático, Jorge, com sotaque paranaense. "A união PC/PS no Chile é uma traição ao movimento camponês e operário; a revolução das massas foi barrada", acudia Mário, do Rio. Para alguns, ainda, a CGT, na Argentina, fazia meia com a burguesia e com o imperialismo. Falou-se de política europeia. "Já há quatrocentos mil desempregados na França", alguém informou. A criação de um Ministério do Meio Ambiente em 71 no governo francês provava, para todos os presentes, que os ecologistas estavam sendo completamente cooptados pela direita.

Dessa reunião em Senlis participaram Kheira e Saïd, ele libanês, ela argelina, militantes de uma organização francesa. Os dois fizeram longas análises sobre a Palestina e sobre Israel. Segundo eles, não ia demorar muito para arrebentar uma guerra entre o Estado hebreu e seus vizinhos. A burocracia do Kremlin tentava desarmar politicamente os militantes palestinos e fortalecer a ordem burguesa no Oriente Médio. A resistência palestina na Jordânia em 1970 tinha sido completamente destruída logo após o aval de Nasser ao plano Rogers. "Uma nítida aliança do imperialismo com o stalinismo", discursou Saïd didaticamente.

Por volta das quatro da tarde André propôs que todos dessem uma caminhada pela floresta ali perto. "Lá pras nove horas vai ter *uma* sopão de legumes aqui", informou Brigitte, com sotaque carregado. Já era junho, a floresta perto de Senlis enverdecera radicalmente e pouco tinha a ver com aquela da reunião de janeiro, as árvores desfolhadas brotando de um chão nevado, uma floresta agonizante de braços e troncos desnudos, com um sopro de vida verde circunscrita aos pinheiros cuspidos desordenadamente do céu por alguma alma generosa. Agora flores violetas, azuis e rosas cobriam o chão e os pínus pareciam até pouco verdes se comparados com a exuberância da copa dos carvalhos, plátanos, castanheiras e tílias. Para alcançar a floresta seguia-se por uma estradinha no meio de trigais debruados por amapolas.

Na reunião anterior em Senlis os companheiros da Aliança Socialista Libertadora tinham visto, na mata, uma corça ferida, arrastando uma das patas traseiras na tentativa de correr, e deixando um rastro vermelho. Não deve ter sido difícil para os cães urradores encontrarem a presa exangue. A cena criara uma certa tensão no pessoal da ASL. Talvez por isso, alguns preferiram, desta vez, ficar descansando nos sofás da casa de André (ou talvez por preguiça mesmo!).

André comentava que andar pela floresta depois do almoço nos fins de semana era quase uma obrigação que o casal se impusera, provavelmente por proposta da esposa médica. O grupo da ASL parisiense trilhou, nessa reunião de primavera, quase cinco quilômetros de bosque só falando de assuntos relativos à natureza e ouvindo o canto de cotovias, tordos, melros, cucos e calhandras. Na volta pararam num trailer que vendia batatas fritas e linguiças de carneiro — *merguez*, como na África do Norte, especificou André. Muriel exclamou que adorava *merguez* com fritas e mostarda! O trailer, com uma placa enorme com os dizeres "*Tonton la frite — merguez*", era de um tunisiano, Mohamed, conhecido de André e Brigitte.

Lázaro e Muriel eram os que mais conversavam com o árabe. Mohamed, de avental branco, uma pequena lasca dourada no canino esquerdo, falava do seu país, do futebol brasileiro e apertava os olhos quando retirava, com uma peneira, as fritas do óleo borbulhante. Numa hora, no meio do chiado e do vapor da fritura, perguntou, olhando alternadamente nos olhos de Lázaro e Muriel, se eles tinham filhos e há quanto tempo estavam casados. Fábio, de um salto, aproximou-se, segurou Muriel com a mão esquerda e com a direita acariciou-lhe os cabelos. Mohamed limpou as mãos no avental e sorriu para o catarinense, a lasquinha do canino lentamente morrendo entre os lábios.

À noite serviu-se o que todos chamaram *a* sopão da Brigitte regado a litros e litros de vinho tinto. Falou-se do acidente com o avião soviético ocorrido há poucos dias; o Tupolev despencara sobre casas perto do aeroporto do Bourget, no caminho, justamente, entre Senlis e Paris. Lázaro explicava a André que no velório do sertanista Francisco Meireles, que morrera no dia cinco de junho, no Rio, teve canto xavante,

Drummond escrevera uma crônica; falou-se ainda que, segundo informações quentes, em poucos dias seria anunciado o nome do presidente do Superior Tribunal Militar para vice-presidente do Geisel; comentava-se a coincidência de os dois pertencerem ao conselho deliberativo do Internacional de Porto Alegre; analisou-se, igualmente, a visita de Brejnev a Pompidou no próximo dia vinte e quatro. Fábio e Muriel mantiveram-se calados durante quase todo o jantar.

No fim do muro da penitenciária do Catumbi apareceu um barulhinho aterrorizador de choque elétrico, pude ver que vinha dos transformadores da Light ali perto, mas só me dei conta que eu tinha começado a berrar pelos olhares apavorados e as caras amedrontadas de três mulheres que conversavam na porta de uma casa; não sei quanto tempo gritei, acho que desmaiei depois, quando dei por mim estava deitado na calçada com a cara no chão, vi umas sandálias de borracha, pés descalços, sapatos velhos e tênis a dez centímetros dos meus olhos, ouvia dizer está bêbado, outros é louco, talvez epiléptico, me levantei devagar, o círculo de pessoas se abriu, caras de espanto, fui caminhando em linha reta, enxergava um túnel ao longe.

O tio Manuel, do carro de boi, de vez em quando fala em ti, meu filho, se lembra sempre das nossas férias passadas lá, disse que dos três irmãos você era o mais levado, temos notícia dele pela Lorena; o Altair falou que o tio Manuel, de tanto ser chamador e gajeiro ao mesmo tempo, parece um boi cangado, qualquer dia um rebojo leva ele, de tão fraquinho e corcundinha que está; a mãe da Anelise veio aqui em casa outro dia fazer uma visita, dá notícias, Fabinho, dá notícias, vê se escreve.

Por volta de duas horas da manhã, o grupo da Aliança Socialista Libertadora deixou Senlis em três carros e regressou a Paris.

5

FÁBIO TENTOU — e não poucas vezes — saber mais de Muriel por ela mesma. Sempre em vão. "Eu não quero saber do seu passado, por que você quer saber do meu?" "Mas o meu é simples, Muriel. Nasci em Florianópolis em 1946, mais precisamente numa casa na antiga Freguesia de Nossa Senhora da Lapa do Ribeirão da Ilha, vida normal, pobre, de origem açoriana — esquece os olhos azuis, dizem que pode ser um traço holandês na família, os holandeses andaram por Santa Catarina, mas muitos portugueses também têm olhos azuis —, pai marceneiro (só ele, todos os meus tios são pescadores), mãe rendeira, faculdade de Ciências Sociais, trancamento de matrícula pra me engajar na Aliança Socialista Libertadora, transferência para o Rio de Janeiro, Copacabana, expropriação bancária em nome da revolução social, prisão, fuga, exílio em Paris. O que mais? E o Lázaro me falou umas coisas da tua vida."

"Se falou, Fábio, foi da cabeça dele."

Observações de Muriel em frases curtas se tornavam verdadeiros tratados para o catarinense. A Muriel valia-lhe a sentença, não mais as contradições que a engendraram.

Fui andando naquele dia, no Catumbi, a cabeça parecia que ia explodir, em direção ao túnel em construção que vai até a rua do Riachuelo, ele é baixo e abaulado, do outro lado vinha aquela claridade, como olhos, fui andando em direção à Praça Cruz Vermelha, os olhos do túnel me guiando, o ruído da estação da Light ficando pra trás!

Mas acontecia, certo, de Muriel conversar, ainda que superficialmente, sobre alguns pequenos pontos da sua vida. Uma ocasião, na saída de uma sessão de cinema, por exemplo, falou um pouco da infância. Tinham acabado de assistir a *O estudante de Praga*, de Hans Ewers. Iam, com frequência, ao cinema 14 Juillet/Bastille e à cinemateca do Palais de Chaillot. Muriel relatou um fato horrível que se passara no vilarejo da Auvergne, ela criança. O açougueiro, homem sorridente e amigo de todos, se transformava à noite num ser perverso e sanguinário. Decepava a cabeça de cães e gatos da região com um afiado cutelo. A particularidade é que depois castrava os animais. Ninguém podia imaginar que fosse o açougueiro o autor daquelas atrocidades. No dia seguinte misturava as partes dos animais na máquina de moer carne. Até que matou um menino e lhe decepou os testículos. Naquele mesmo dia o monstro noturno foi preso e confessou tudo. "Eu era muito pequena, a minha mãe contou que chorei muito. Disseram que a população enfurecida retirou violentamente o carniceiro da Gendarmaria de Salers e o linchou. E depois o castrou! Ninguém tinha feito a ligação entre a decoração do açougue e as crueldades — joelho de porco, língua de todo tipo e rabos de boi pendurados na entrada, parecia normal para aquele tipo de comércio, só que no meio daquilo estavam penduradas outras coisas! Nessas cidadezinhas pequenas, no interior da França, sempre acontecem histórias escabrosas assim."

Foi, provavelmente, o único acontecimento digno de nota que Muriel citou a respeito da sua vida de criança. Sobre o pai, nada. Tinha-se a sensação de que, para ela, a vida começara a partir dos dezoito anos, quando veio morar em Paris. Sobre o seu silêncio dava até algumas explicações. Afirmava que só se devia falar de fatos que tivessem existência real, "nome e endereço". Se as palavras em si já são uma representação, por isso outro real, agora imagina se elas se referem a alguma coisa cuja existência é duvidosa! "Então é melhor e mais prudente calar", dissertava arregalando os olhos coloridos.

6

NÃO FOI A PRIMEIRA VEZ que Fábio e Lázaro alternaram os amores de uma mulher — amor talvez não, mas pelo menos o corpo. A filha de um assessor do adido militar da Embaixada do Brasil em Londres estudava em Paris e, ela própria reconhecia, baseada no parecer do seu analista, era ninfomaníaca. Chamava-se Ana Letícia Dalfovo, no Brasil morava em Juiz de Fora. Dizia-se simpática à causa da esquerda brasileira. Não acreditavam realmente nela mas era difícil para um brasileiro passar pela universidade em Paris e não ser minimamente de esquerda. Bibliografia indicada pelos professores, amigos, conferências, filmes, seminários, tudo era progressista. Defender o governo do Brasil, nem pensar, não tinha como, era de extremo mau gosto e cafona. A filha do assessor do adido militar, portanto, era socialista. Mas não cessava de dizer, sob influência do pai, como ela própria confessava: "É bem verdade que sem a injustiça social no passado, não teriam sido construídos os palácios de Florença e Versalhes, que até hoje são admirados."

Ana Letícia, numa noite, até mesmo concordara, entusiasticamente, com a avaliação — já feita inclusive pela Igreja — que a doutrina de Segurança Nacional se apoiava nos mesmos pilares do nazismo e do fascismo. Das reuniões e operações da Aliança Socialista Libertadora, claro, Ana Letícia jamais soube um detalhe sequer. A discrição era de regra. Ao contrário, Lázaro e Fábio é que tentavam arrancar algumas informações sobre os planos da repressão no Brasil, mas em vão — ela, pelo jeito, era mesmo inocente. Orgulhava-se da proximidade com o poder no Brasil e de possuir informações de cocheira (que não tinham, aliás, a menor importância). Ana Letícia sabia que Fábio e Lázaro eram exilados, seu pai também tinha um amigo que fora expulso injustamente dos quadros do Itamaraty, como ela dizia — "tem muita burrice na política do Brasil, os homossexuais e quem gosta muito de uísque são expulsos sem mais nem menos do Itamaraty, o que que tem a ver?"

Morava num apartamento na rua de Rivoli, em frente ao jardim das Tulherias. À esquerda o museu do Louvre, à direita a praça da Concorde. Do seu apartamento podia se constatar a chegada da primavera com a algazarra das crianças que vinham assistir ao teatro de marionetes ao ar livre e com o desabrochar das flores e o arrebentar de brotos verde-claros nos galhos das árvores do jardim; ou comprovar a aproximação do inverno ventoso na queda lenta, soturna e inexorável das folhas amareladas e extenuadas que trocavam os galhos pelo chão de areia. Os dois amigos da Aliança Socialista Libertadora frequentavam aquela casa em várias ocasiões; Ana Letícia dava festinhas e tinha uma excelente coleção de discos de música brasileira.

Era fisicamente parecida com Muriel. Traços finos, pele macia e muito branca, mas cabelos negros e olhos castanhos. Gostava de exibir os ombros. Tinha orgulho dos seios e eles começavam logo abaixo! Numa dessas festas, com baseado à vontade passando de mão em mão, vinho e uísque em profusão, Ana Letícia estava à disposição do mais afoito. A alça caída do vestido preto de jérsei deixava ver o colo alvo e macio. O tipo de carne que, na adolescência catarinense de Fábio, despertava o desejo dos amigos da rua, dele, Fábio, do primo, do seu amigo Joca, do marido da vizinha, do padeiro bigodudo da esquina. Era a imagem insular da mulher de sua juventude na Florianópolis verde-azulada dos sonhos molhados, trazia recordações do suor da prima Mafalda na farra do boi, da fêmea com gosto de tainha, do cheiro de elefante na serragem do circo, dos rastros de perfume de corpo colhidos com os dedos nas estreitas aberturas postas discretamente à disposição pelas gurias numa cúmplice e aquiescente abertura de pernas no escurinho da matinê das quatro passando *Marcelino, pão e vinho.*

Aqueles ombros transportavam Fábio Antônio Nunes dos Santos, o Fabinho, para as suas infantis ruas açorianas e lembravam o papel branco do pão-por-deus sem verso estuprado pela tinta da letra vacilante. / Fábio, te amo, és o mais bonito, quando tu completares quatorze anos quero casar contigo, assinado Anelise Duarte. Florianópolis, Santa Catarina, 1960./

Dali as mãos poderiam deslizar por colinas e vales e se abrigarem no calor de grutas e cavernas lúbricas, ocos viscosos cheirados e lambidos em sonhos ejaculados pelo despertador e pela angústia da prova de latim segunda-feira de manhã.

Lá pelas duas da manhã só restavam Fábio e Ana Letícia.

— Fábio, para, você está bêbado, não tenho nada de portuguesa, nem de mulher das Canárias, quer dizer, dos Açores, nem sou de Florianópolis, sou de Juiz de Fora. Para com isso, me solta, você está me machucando, porra! Não quero agora!

— São os teus ombros que me deixam louco, e parar por quê?

— Estou machucada! E você, quando grita de prazer, grita nomes de outras; devem ser mulheres lá do mercado de Florianópolis, você vê outros ombros!

— E se fosse o Lázaro, Ana Letícia?

— Chega, Fábio, me solta!

— Vou embora então, não preciso de você, mulher não falta.

— Isso! Pega as da imaginação da tua infância; você entra dentro delas mesmo! Não em mim! Tem que ter o buraco que você idealiza, do tamanho que você quer, não sou tua escrava, merda, aqui não é o terceiro mundo machista do Brasil.

— Eu nunca disse que era, Ana Letícia, aqui é pior! É você que alimenta o machismo olhando pra trás como uma puta, por cima do ombro.

— Fábio, me esquece, tá, e me respeita! Vai embora!

Lázaro tinha ido à casa de Ana Letícia, naquela noitada, acompanhado de Muriel, sua namorada na época. Os dois haviam-se particularmente comportado durante a festa. Só levantavam das almofadas do chão para mexer no toca-disco ou para dançar de rosto colado alguma música lenta de Gil, Paulinho da Viola ou Caetano. Fábio admirou a companheira do amigo por toda a noite.

Continuei andando da Praça da Cruz Vermelha em direção ao largo de São Francisco; vomitei embaixo da placa da rua do Lavradio com Mem de Sá, as letras da placa me turvavam os olhos, o ouvido latejando, as tremedeiras dos choques, como teria conseguido chegar até lá? Alguém me guiava. Enfia a cabeça dele na água, ô Jô, segura mais tempo dentro, se não falar, ô comuna, a gente enfia o cabo de vassoura, você vira mulher já, já, chama o doutor aí, Jô, pra dar o laudo que diz que aqui ninguém machucou ninguém.

— Vai embora, Fábio! A vida te ocou por dentro, meu chapa, essa é que é a verdade.

— Vou, Ana Letícia, vou!

Fábio foi mas ainda a empurrou com violência — a observação final da juiz-forana varara-lhe a cabeça — e nunca mais voltou. Dali andou até a rua Monge — era uma boa caminhada —, perto da Universidade de Paris III, onde morava antes de viver com Muriel.

Aquela foi mais uma madrugada parisiense de ansiedade, recordações, insônia e conflito entre as ordens da professora do colégio primário da sua infância em Florianópolis e o desejo menineiro do prazer atrás das pedras com a amiguinha de escola Anelise na areia quente, o mar salgado temperando os músculos enrijecidos. "Pode aparecer boitatá, Fabinho, um primo meu já viu boitatá de verdade na Ponta da Feiticeira na praia Braba, ele disse que aparece assim, de repente, um amigo dele também já viu boitatá atacando os pescadores de noite na praia do Moçambique, vamos embora, a mãe vai ralhar comigo." Recordações do medo do sogro — "o pai me mata, Fábio, a gente é criança, ele está entrevado mas mexe com as mãos, ele usa o cinto de couro e tenho que voltar pro Estreito". Do beijo escondido, Anelise trêmula, na travessa da Harmonia, os hálitos rumorejantes, as vozes talássicas, o mar exclamando. Lembranças, ainda, do orgulho de andar por sob os *flamboyants* das ruas de Florianópolis segurando com força a mão que dava vida a pedaços de madeira, "Vem com o pai hoje, vamos entregar uma peça, é São Judas Tadeu, numa residência na Praça Etelvina Luz". — "Boa-tarde, mestre Santos, trouxe o Fabinho?" — "Trouxe, sim, ele e o São Judas. Se Deus quiser Fabinho também vai ser marceneiro como eu". Lembrança dos gestos lascivos da vizinha divisados em companhia do amigo joinvilense Joca, num quente e pegajoso verão da capital catarinense, através do buraco adolescente da cortina do quarto de Fábio — ela tirou a toalha, Fábio, olha que boa! / Deixa eu ver, Joca, você já viu, que coisa!, deve ter litros e litros de leite naqueles peitos. / Agora eu, Fábio, / cuidado, Joca, ela vai ver a cortina do meu quarto mexendo e vai fechar a persiana. / Ela deve ser puta. / Claro, mas vou tirar ela dessa vida quando crescer, ela não vai mais morar em casa de madeira como agora. / O tenente da Polícia Militar come ela. / Eu sei, e daí! Ela tem precisão! /

Onde andará o Joca agora? Ou é um operário fodido alienado ou um burguesão em Joinville e eu há anos metido até a medula nessa Aliança Socialista Libertadora. Será que foi melhor? Assassino!, porra, sou um assassino!

Da ansiedade, da dúvida e das lembranças vinham a insegurança e a depressão. Sempre. Um assassino. O pai só ia poder ter vergonha de um filho assassino.

A carta da mãe ainda estava no bolso do *duffel-coat*, tinha chegado nesse mesmo dia, pegou na caixa de correspondências do prédio, à noitinha, indo pra casa da Ana Letícia, leu no metrô, o selo azul com o céu e o mar de Florianópolis, quando você vai voltar, Fabinho? Ficamos ontem até as desoras falando da tua vida, fui na igreja do Menino Deus, rezei, o Senhor dos Passos parecia que me olhava; o filho da Conceição, não a vizinha da rua, a tua prima, está um amor, o pai levou ele pra ver o boi na vara, ele ficou com mais medo do boneco do que do boi, pai disse que se lembrou quando te levava também; é, mas cresci, mãe, entende?, cresci, queria um Brasil mais justo e me tornei um assassino, mãe, assassino, foi sem querer mas atirei, mãe, atirei, entende?

Ana Letícia não demorou muito a encontrar o seu caminho. Acabou se juntando para valer com um representante da Interbrás na França, a quem — certo, isso não mudou — traía regularmente com os empregados mais simples da firma. Lázaro ainda recebeu dela, uma vez, um par de sapatos que iria servir de amostra numa feira de calçados na Alemanha. A Interbrás fazia pequenos furos nesses sapatos para que não pudessem ser vendidos. Lázaro usou-o por muito tempo; colou um pedacinho de couro nos buraquinhos; só notava quem já sabia. Ana Letícia acabou sendo nomeada, alguns meses depois, para um importante cargo no Ministério da Educação em Brasília. Ela costumava explicar (parecia só saber isso, aprendera na École Pratique des Hautes Études) que Victor Hugo dizia "Do sublime ao grotesco, do grave ao suave, do ameno ao severo". Ia fornicar e aplicar esses contrastes no país que, sobre o assunto, dava lições ao mundo, dizia Lázaro rindo.

7

Certas vezes, dir-se-ia algo propositalmente, Muriel abordava temas com uma estratégia discursiva talhada para irritar o companheiro. Ia fundo nos argumentos, treinava a eloquência, rebatia versões, divergia. Parecia exercício de retórica. Na mesa do jantar em casa, por exemplo, após o quinto copo de vinho ou em reuniões sociais com Fábio na casa das amigas (depois passava dias só falando o essencial, encavernada em si mesma). Como se deu, uma vez, no apartamento da Place d'Italie, após um cinema desmarcado na última hora por Fábio em consequência de uma reunião extraordinária e urgente da ASL.

— O que eu acho é que, realmente, a Bahia é mais Brasil do que o Sul. A comida, as cerimônias religiosas, os baianos parecem que são a alma brasileira. E o Brasil é um país negro. O Lázaro disse que sessenta por cento dos brasileiros são negros. É o maior país negro do mundo.

— Tem a Nigéria! — refutou Fábio.

— Mas o maior país negro governado por brancos, contestou Muriel.

— Isso é verdade em termos, Muriel. Mas essa história de alma brasileira baiana é bobagem. É pra turista.

O catarinense retrucara com convicção. O cenho fechado.

— Mas a gente vê, Fábio. O Lázaro tem aquele charme todo. Todo mundo fica encantado com ele. É o astral africano.

Deu-se uma ausência momentânea de palavras. Talvez o tempo de uma busca no arquivo vocabular armazenado na cabeça. Saiu uma ficha meio aos trambolhões.

— É, mas as suas posições também ajudam a manter o Brasil na merda — respondeu Fábio.

Não era uma opinião definitiva, mas a que serviu na hora para ocupar o desconfortável silêncio.

— Por quê? O que tem a ver? — insistiu Muriel.

— Porque ele gosta dessa imagem de atração turística pro Hemisfério Norte, Muriel. No fundo, acaba tendo preconceito com a própria África, pois dá a impressão que os negros só passaram a existir no Brasil. Eles tinham uma nação tão organizada quanto a Itália, Alemanha, França, Portugal, Espanha. Só eram mais pobres. A pátria deles era tão na África quanto era na Europa a dos portugueses, alemães, italianos e outros que foram para o Brasil. E pior!, os negros vieram na marra. Teriam preferido ficar na África, entende, Muriel? Os descendentes de africanos no Brasil são brasileiros, é só, essa é que é a verdade, como os descendentes de portugueses. Esse raciocínio do Lázaro tem o cheiro da culpa da história oficial do Brasil. E sabe qual é o resultado? Acaba por artificializar e esvaziar as fontes africanas na formação da nação brasileira.

— Mas é melhor do que deixar eles por baixo. Dando força à cultura negra pelo menos se ajuda um pouco a acabar com o *apartheid* disfarçado. E Bahia é Bahia, tem pimenta. A Annie e a Jacqueline, aquelas duas amigas minhas, são apaixonadas pelo Lázaro. Dizem que ele tem o rosto e o corpo mais perfeito que viram na vida. As mulheres babam e tremem quando ele põe aqueles olhos que parecem maquiados em cima delas. Dá um arrepio que vem lá de baixo até o peito. As duas não cansam de me dizer isso.

— A revolução popular vai acabar com essa diferença de raças. E, porra, Muriel, por que você não volta pro Lázaro?

— Eu não, ele disse que eu às vezes sou meio Exu!

Numa das esquinas da Lavradio, acho que perto da avenida Chile, parei, me agarrei num poste, tinha muita gente num botequim, gente tipo estudante, vieram me ajudar, eu todo sujo, alguém chamou o nome Sabará, dá um prato de comida a ele, pode ser fraqueza, o homem do bar me trouxe feijão com arroz e carne, me deu engulhos, só disse que tinha que continuar, onde ficava o largo de São Francisco? deixa ele, deixa ele seguir, o tal dono do botequim enfiou um chocolate e uma nota de dinheiro no meu bolso, atravessei a rua cambaleando, andei um pouco e fui empurrado, aos gritos, por três rapazes que tiraram o chocolate e o dinheiro do bolso da minha calça, devem ter visto o gesto do homem do bar, saíram calmamente andando, eu no chão, o porão da tortura, o grito dos pivetes, tudo girava, onde eu estava?, levantei e continuei caminhando.

Após essas discussões, à noite, quando via a fragilidade do amante — *jaloux*, dizia ela —, Muriel virava-se para ele como se estivesse no cio, deixando escapar pequenos suspiros e sussurros. Levantava a já curta camisola de seda, olhava para trás por cima do ombro esquerdo, a ponta da língua ligeiramente no canto do lábio, se oferecendo ao parceiro. Na primeira vez em que se amaram com esse teatro erótico de Muriel, Fábio se sentiu o macho escolhido e exultou. Na terceira começou a achar um quê de vulgaridade. "Ela viu isso em filme pornográfico? Também, só quero ela pra cama, tudo bem!" Quando passaram a viver juntos, Muriel espaçava mais esses oferecimentos que tanto impressionaram no início o militante catarinense da Aliança Socialista Libertadora. Guardava-o como um trunfo.

Quando o amante se sentia mais confiante e seguro, oferecia-se a ele vestida com pudicos pijamas. Num tom pouco sério, tentava lascivamente impedir que fosse possuída e acabava, por fim, cedendo aos anseios que — debochava — queimavam-na por dentro. Brincadeira ou não, Fábio gostava de vê-la representar. Ela virava-se teatralmente e dizia que, naquela noite, se sentia uma virgem ardendo de prazer: mas só se deixaria ser penetrada em um único lugar, pois não podia perder a virgindade! O catarinense exultava de novo. Foi num desses dias de pudicícia de Muriel que Fábio pensou ouvir o nome de Lázaro saindo da boca da amada no momento mais alto de prazer. Acusada disso logo depois, ela apenas disse: "Você é *fou,* Fábio."

Devo ser louco mesmo. Alguém me ajudou a sentar num banco da Praça Tiradentes, os pombos voavam e voavam sobre mim, uma velha jogava milho e pão desordenadamente, quer um pãozinho, meu filho, toma; peguei, era pros pombos, mas ela dava um pra mim também, barbado, com sangue saindo do ouvido, um mendigo; o pão duro doía na boca, difícil de engolir, mas precisava de forças, como se você dissesse, come, Fábio! você precisa estar forte pra gente se encontrar na França, come!

"No fundo eu queria que Muriel experimentasse todos os homens e me escolhesse como o melhor. Mas, primeiro: não dá pra experimentar todos e — principalmente — segundo: ela pode voltar e dizer que encontrou o verdadeiro homem da sua vida. Então é melhor que não experimente. Por isso acho que o amor é inevitavelmente frustração e insegurança", disse uma vez Fábio a Inaldo Sako, um japonês, só que de Presidente Prudente, membro atuante da Aliança Socialista Libertadora. (Sako era grande frequentador do Louvre. Ex-estudante de Belas Artes da USP. Gostava de pontuar a conversa com referências a quadros célebres. Viajara a Douais, certa vez, especialmente para ver *O suplício de Prometeu,* de Assoreto, exposto no museu de La Chartreuse. Classificava as pessoas por séculos. Fulano tem visões do século XI, beltrano do século XVI. Fábio ficou com a classificação século XVII. A de Lázaro ele ainda estava estudando. Ninguém se ofendia. O japonês tinha sempre explicações positivas e engraçadas.) Lázaro, em contrapartida, não parecia ter essas preocupações com o amor, muito menos ciúmes. Vai ver era mesmo o diabo do astral africano. Mas não se tratava unicamente do astral. Coube-lhe, numa das reuniões da organização, fazer o resumo de um artigo de Gramsci. Na opinião de todos, foi a leitura mais lúcida do marxista italiano feita até então na ASL. Lázaro parecia que pegava o essencial no ar enquanto os outros se debatiam com as franjas do tapete.

8

A SOLIDÃO EM ALGUNS, a estranha alegria em outros, a angústia na maioria. O universo dos exilados era esse. A insegurança psicológica ou levava a abraçar com exagerado ardor o país do exílio ou a abominá-lo. "Na França, graças à arte e às lutas do povo através do tempo, existe um humanismo que faz deste país o berço da tolerância." "Eu não acho, se assim fosse, o povo não teria essa frieza toda e esse mau humor. O povo brasileiro é muito mais tolerante e caloroso. No Brasil puta goza!" Fábio e Lázaro participavam de reuniões com a comunidade brasileira de Paris e associações francesas na Maison de l'Amérique Latine, na Maison du Brésil da Cidade Universitária e na Mutualité (na Mutualité os debates eram mais consistentes e as propostas mais radicais). Às vezes os encontros aconteciam na biblioteca do Instituto de Estudos Portugueses e Brasileiros da Sorbonne. Lá havia um símbolo: um paralelepípedo do

Boulevard Saint Michel, sobra do conflito de 68, tronava sobre uma mesa, ao lado de livros de Eça de Queirós, Gil Vicente, Camões, Fernão Mendes Pinto, Vieira e Machado de Assis. Alguém do Instituto sempre se encarregava de preparar a sala para esses seminários políticos.

Não era apenas por iniciativa da Aliança Socialista Libertadora e das outras organizações brasileiras de esquerda que os encontros aconteciam. Vinham de grupos humanitários franceses, da Anistia Internacional, da Igreja, dos socialistas e comunistas franceses através dos seus respectivos partidos. A Liga Comunista Revolucionária Francesa e a Organização Comunista Internacional também exerciam papel ativo na convocação de algumas dessas reuniões. Nenhum dos exilados brasileiros, no entanto, queria ser Embaixador da Desgraça. Gostavam de passar, ao contrário, uma imagem positiva do país, separando Estado/nação de governo. Governo que não se assimilava ao povo, que proibia mas não calava. Surgia sempre, nesses encontros, Brecht — "A fome não desaparece quando a palavra fome é proibida." Era apenas uma onda que desgraçadamente se abatera sobre o país e — suplicavam — vocês que vão emergir da onda em que nós nos afogamos, pensem em nós com indulgência. Falavam do exílio com dor de verdade exposta.

Um ex-diplomata francês tinha papel relevante nas assembleias. Ele próprio impedira a invasão do teatro Maison de France pelas forças da direita, no Rio, em julho de 68. Os mesmos que, relembrava sempre para os exilados de outros países, explodiriam uma bomba na Associação Brasileira de Imprensa, na mesma época. Costumava relatar também, com pormenores, que logo em seguida houve um atentado a bomba num teatro em São Paulo e que atores de cinema e teatro eram sequestrados e torturados pela repressão. Os exilados brasileiros sempre acrescentavam detalhes. Comandos armados de cassetetes e socos-ingleses tinham invadido um centro cultural, no Rio de Janeiro, destruído quadros, esculturas e ferido seriamente dez pessoas.

Das reuniões, principalmente quando se realizavam na Mutualité, participava também um padre francês, expulso do Brasil em 68. Numa ocasião ele se irritou profundamente quando, em observação canhestra, Fábio e Lázaro insinuaram que o espiritualismo católico levara ao fascismo nos anos 30, por isso era necessário prudência ao tratar do assunto. O padre, depois, acabou concordando com a ideia de prudência. Sempre que podia, denunciava o absurdo da intervenção do Ministro do Interior de sua época no Brasil, que afirmava estar o clero empenhado em despertar tendências sexuais anormais na juventude. O religioso era muito admirado e respeitado pelos brasileiros exilados em Paris.

Fábio e Lázaro saíram de um desses conclaves na Maison de l'Amérique Latine, num domingo, por volta de dezoito horas. Foram conversando e caminhando vagarosamente pelo Boulevard Saint Germain até o Deux Magots. Sentaram no terraço sem parar de falar. O café estava quase lotado. Muita fumaça no interior, uma pequena brisa no lado de fora. Homens fumando cachimbo vestidos de Sartre, a pasta de couro na cadeira, jovens uniformizados de professor da Sorbonne, escritores e poetas fantasiados de Rimbaud, moças com cabelo acaju de minissaia, outras com jeans e túnica indiana, aos risos, senhoras elegantes fumando com piteira, um cálice de vinho tinto imperando sobre a mesa circular.

— As dificuldades maiores para uma verdadeira revolução no Brasil estão em conseguir aliar os operários aos camponeses; e a classe operária é a única que teria poder pra fazer isso, só que a migração em massa do campo para as cidades esvazia uma possível organização camponesa. Daí vem o impasse — dissertou Fábio calmamente.

Lázaro concordou e acrescentou:

— Se para a China as palavras de ordem democráticas foram e continuam sendo a transferência da terra ao campesinato, jornada de oito horas de trabalho, noção que, aliás, está envelhecendo, independência nacional e autodeterminação das várias nacionalidades chinesas, no Brasil isso é ainda mais premente. A ideia das várias nacionalidades poderá ser substituída pela independência de ação nas associações de bairro, universidades, regiões, segmentos profissionais etc. Tudo isso junto, como um mosaico, um respeitando o outro, poderá representar o nascimento de uma nova sociedade. Os poucos votos na extrema esquerda nas eleições legislativas na França esse ano provam que o sufrágio universal é um engano. É pra trouxas.

— Mas a gente fica de saco cheio, às vezes, dessa coisarada toda, essas pessoas estranhas como hoje na reunião, com propostas bonitas mas irreais, que não dão em nada, você não acha, Lázaro?

— Acho, acho mesmo. E nessas assembleias só tem mulher feia — proclamou Lázaro deixando escapar uma gargalhada.

A conversa não tinha importância. Corria frouxa. Estilo função lúdica da linguagem.

— É, aqui na França as mulheres de direita são mais bonitas — garantiu Fábio sorrindo.

— Mais bonitas não sei, porém mais cheirosas com certeza. Mas há exceções, Fábio. A Muriel é uma delas, por exemplo, e há outras.

Fábio se ajeitou na cadeira, assoou o nariz com lenço de papel, o pigarro voltou.

— Você está bem à vontade pra falar, Lázaro, com o monte de mulheres que você tem!

— Mas com nenhuma sou feliz.

— E com a Muriel?

A pergunta era dissimuladamente anódina. Lázaro coçou a cabeça, fungou, olhou para o interior do bar, as garrafas de bebidas alcoólicas de cabeça pra baixo, enfileiradas; o pequeno pedestal de plástico azul com seis ovos cozidos, no canto direito do balcão; a maquininha distribuidora de amendoim no canto esquerdo, e declarou em tom de confissão:

— Com ela até tive momentos de repouso mental, quase de paixão, mas outros de loucura causados por ela própria, mas passou. Ela é meio barra-pesada!

O garçom interrompeu, trazia os dois cafés. Fábio já reclamava da demora.

— Como assim, Lázaro?

— Você deve saber, porra.

— Não, não. Tenho com ela uma relação simples, estamos juntos momentaneamente. Não é amor.

A frase saiu automaticamente. Foi mais um alinhamento de fonemas do que propriamente uma sentença correspondendo ao que ele de fato pretendia dizer. Corrigir agora era difícil, soaria falso.

— Se não é, vai ser, com Melusina tudo acaba em paixão, não tem meio-termo, Fábio.

Andei da Praça Tiradentes até o largo de São Francisco, a estudantada toda na praça, as calças Lee com camisa azul estilo militar, era moda, em plena ditadura, mas a rapaziada gostava, chegavam a ir comprar as camisas em lojas da Praça Mauá; ali na frente do Instituto de Filosofia e Ciências Sociais me sentia mais em casa, telefonema do orelhão, ficha cedida pelo pipoqueiro, o número do telefone colado na memória, atendeu Glorinha, sou eu, o Fábio, estou na frente do IFCS, porra, fica aí, é um milagre, como você escapou? Não, não responde, deixa, vou aí, senta na escadaria e mantém discrição, olha se tem polícia perto, é um milagre, Fábio!

Conversaram por mais algum tempo sobre mulheres, um pouco sobre existencialismo e literatura — "É difícil chegar a plasmar em nível artístico uma visão de mundo; se conseguir, está criada a literatura", palavras de Lázaro —, afinal estavam no templo do movimento sartriano, e muito sobre política, humanismo, stalinismo, tolerância, Ligas Camponesas, censura.

Pediram mais dois cafés.

"Peças censuradas já são mais de trezentas desde o golpe", relembrou Lázaro. "Criar dois, três, muitos Vietnãs, como Guevara preconizou, é um equívoco, essa orientação foquista é uma estratégia de luta que não tem nada a ver com a classe operária, o importante é criar condições revolucionárias de tomada de poder; se a gente assaltou banco aquela vez é porque a organização precisava, mas não pode ser a estratégia global de luta da ASL, isso tem que ficar claro", acrescentou ainda, dissolvendo com a colher o açúcar em pedra na xícara de café.

Começou a chover. Aquela chuva fina horrível que molha por dentro, que entra em tudo que seja oco.

Lázaro pagou a conta — "liberaram hoje o pagamento da Organização dos Refugiados" — e saíram. Caminharam em direção à estação de metrô Saint Germain. "O subsolo de Paris é como aquele queijo com buracos, cheio de ratinhos andando dentro", observou Fábio. Foram juntos, de metrô, até Châtelet. Lázaro continuava na mesma linha, Fábio devia fazer baldeação, direção Place d'Italie.

— Reunião quinta à noite, lá em casa, como combinado, Catarina! — gritou Lázaro ao companheiro já na plataforma da estação.

O Catarina respondeu com o polegar direito levantado. Fábio chegou em casa às nove da noite. Abriu a porta, Muriel veio ao seu encontro e o abraçou. Estava de pijama cor-de-rosa, toalha molhada na cabeça, escorriam-lhe gotas pelas têmporas. Disse que estava morta de cansada. Estudara na biblioteca por mais de cinco horas e ainda trabalhara num escritório no bairro de La Défense. Como o valor da bolsa da universidade não era suficiente, Muriel fazia pequenos trabalhos — em escritórios, classificando documentos — que lhe rendiam quase o dobro do valor da bolsa. Aceitava também, às vezes, outras tarefas como *baby-sitting*, aulas particulares de francês e era vendedora, nas férias, em grandes lojas do Boulevard Haussmann. Havia noites em que se deitava e adormecia quase instantaneamente. Aquela foi uma delas. Muriel secou os cabelos, com secador, por quase meia hora, jantaram — rabanete de entrada, presunto com pepinos em conserva, purê de batatas, queijo, frutas — e, queixando-se de cansaço e sono, foi para o quarto. Fábio ligou a televisão. O presidente era o entrevistado de um programa cultural. Falava da imprescindibilidade da existência de uma terceira via política e militar como fator de equilíbrio entre os Estados Unidos e a União Soviética. A força de ataque relâmpago da França, com os mísseis de Albion, submarinos nucleares e Mirages, e a influência que os grandes escritores, artistas e pensadores franceses espalharam pelo mundo reservavam à França o honroso lugar de fiel da balança da geopolítica mundial. "Ogivas nucleares detonadas por Pascal e Descartes, deve ser isso", declarou Fábio em voz alta. Desligou a televisão e foi para o quarto.

Muriel dormia. Ao lado, no criado-mudo, o livro *Les paysans*, de Balzac, com um tíquete de metrô marcando a última página lida. Uma criança, um anjo. Parecia morta, em paz. Como seria ele morto? Teria essa cara de repouso? Ouvia-a respirar. Seria dela aquele passado descrito por

Lázaro? Como podia ela dormir com tanta candura, presa fácil de desejos, ambições e fantasmas? E ele só pesadelos, sofrimentos, suores? Vendo-a dormir de costas, o rosto levemente voltado para a direita, um enigmático sorriso nos lábios, Fábio sentiu um desejo irresistível de dar cor àquela imaculada brancura. Imerso num mundo de aquarelas, aproximou-se lentamente da que lhe parecia uma virgem só sua e, com o polegar, com todo o cuidado, levantou-lhe a pálpebra esquerda, como se fosse colorir um desenho em branco e preto, mas, como tinta, surgiu-lhe, ameaçador, um globo verde-azulado que, sem vida e desparelhado, pareceu-lhe monstruoso. Muriel balbuciou algo e virou-se para o outro lado. Agora Fábio só via os cabelos negros brilhantes e despenteados.

9

ANTES DAQUELA QUINTA-FEIRA, Fábio quis ter uma conversa em separado com Lázaro. Devia ser com calma e sem hora para acabar. Encontraram-se num café na praça do Odéon. O café ficava numa esquina; ao lado vendiam-se cachorro-quente e batatas fritas, o cheiro de fritura escovava as narinas dos clientes do Café de l'Art. Lázaro chegou atrasado, Fábio já o esperava há meia hora.

— Desculpa, Fábio, não deu pra estar aqui na hora combinada. E confundi o Café de l'Art com o outro, no lado de lá de Saint Germain. A notícia mais importante que trago é que dezenas de jornalistas e estudantes continuam sendo torturados no centro de terror da Operação Bandeirantes em São Paulo. Está cada vez pior.

— Eu queria falar com você, hoje, sobre a Muriel, não é sobre a ASL — contraveio Fábio.

— Sobre a Iracema gaulesa? Está bem, fala.

— Quero me abrir, Lázaro. Dizer tudo, estou precisando. Eu não sei o que tenho, mas nunca senti isso por uma mulher. A Muriel não é a Ana Letícia. Não tive coragem de te dizer que estou apaixonado por ela; menti quando disse que nós só estávamos juntos momentaneamente. Falei porque estava com vergonha de você. Já pensei mil vezes em largar tudo e ter uma vida de família com Muriel. Acho que a vida é isso, e a gente, de otário, passa ao largo. E vive de forma artificial. Usa a língua convencionalmente. Já nem se consegue construir direito uma frase correspondendo ao exato pensamento. Os nossos diálogos, por exemplo, Lázaro, principalmente quando tratam de assunto político, parecem falsos. Pode prestar atenção. É tudo meio decorado. Estou de saco cheio de representação. E farto de viver numa lapa.

Lázaro olhava para o empregado do café que se movimentava frenético de um lado para o outro por trás do balcão de zinco. O rapaz parava, às súbitas, desatarraxava o filtro da máquina de café expresso, dava fortes e barulhentos golpes num pedaço de madeira pregado sobre a lixeira, enchia o recipiente com novo pó de café, rodava a engenhoca no sentido contrário, punha a mão esquerda fechada na cintura e olhava displicentemente os clientes nas mesas. Com a língua tirava pedacinhos de alimentos presos nos dentes. A pergunta "Você está me ouvindo?" trouxe Lázaro de volta a Fábio e à Iracema gaulesa.

— A Muriel é fogo, eu sei, Fábio, faz a gente ficar grudado nela. Certas vezes ela parece mãe da gente, em outras a gente parece ser o pai dela. A Muriel capitosa mexe lá no fundo! Só mesmo um Oxóssi pra neutralizar ela, ou um Ogum carioca. Ela vive num universo só dela. É difícil entrar no algar da Melusina.

— Tem vezes, Lázaro, que penso que ela ainda gosta de você. — Fábio falava mantendo os olhos fechados por longo tempo. Sorria, mas o sorriso parecia petrificado.

— Não, Catarina, não entra nessa. Ela, no máximo, só gosta dela mesma. E acho que ninguém conseguirá conhecê-la realmente um dia. Pra entender Muriel teria sido preciso combinar antes novos códigos, novos símbolos, os que estão aí não dão conta do recado.

— Uma noite, na cama, acho que ela pronunciou o teu nome. Estou jogando aberto, Lázaro, joga também, porra! Não é bem uma cobrança que eu estou te fazendo, só estou cumprindo um trato social cuja justeza não me passa pela cabeça questionar agora, sempre foi assim na história da humanidade, reparos se impuseram, a esquerda sabe disso, mas o amor não se divide, é como a arte. Mas se você não quer falar, diz logo, ou será que vai fugir do assunto? Nesse caso é bom levantar e ir embora, ou você é meu amigo ou não é, merda.

— Fala, mano, eu estou ouvindo e falando, ou não estou? Fala, mano!

Fábio continuou no mesmo tom, os olhos marejados. Os golpes furiosos do garçom na madeira por trás do balcão se sucediam. A mesa ao lado, que se esvaziara há minutos, foi ocupada por duas senhoras de cabelos tingidos de louro, cobertas de pó compacto, batom vermelho-sangue fresco, que pediram dois cálices de vinho branco e não paravam de reclamar do cheiro de gordura da barraquinha de fritas ao lado.

— Nunca passei por isso, Lázaro, nunca. Jamais senti tanta coisa na minha cabeça e no meu corpo. Só experimentei uma coisa parecida assim, no peito, com uma colega de faculdade, a Elke, e uma vez no início da adolescência, em Florianópolis, mas foi quase só espiritual, meio platônico. Com Muriel é diferente. Tem horas em que ela é de um jeito, depois de outro. Talvez seja isso que desestabilize a gente. Acho que eu nem me conhecia. Vivia numa toca e não sabia. Muriel fez com que eu me descobrisse. O gozo, o prazer, o amor, a atração. Quando abre as pernas, não entendo o que acontece. Parece que eu me enterro nela. Foi assim com você?

— Não tanto, Fábio, não tanto. Não entra nessa, irmão. Pega leve.

— Pega leve como, porra? O afeto não existe não? Qual é a tua, bicho? Te abre, cacete! Ou você sabe outras coisas?

O catarinense, agora, franzia a sobrancelha. Olhava o companheiro nos olhos. Fixamente.

— Não sei nada, Fábio. O que sei já te disse.

Tomaram duas garrafas de vinho. Comeram dois enormes sanduíches de *camembert*. Permaneceram no café por quase três horas. As duas falsas louras foram substituídas por quatro africanos barulhentos que tomaram cerveja. Praticamente só Fábio falava. Pagaram a conta — no lugar dos africanos agora havia um casal falando árabe — e foram caminhando pelo Boulevard Saint Germain em silêncio. Começava a escurecer, apesar de serem apenas quatro e meia da tarde. Não fazia muito frio. Os faróis amarelos dos carros se confundiam com a iluminação das vitrines e das luzes dos postes *art nouveau.*

Fábio insistiu para que tomassem um café no Cluny, na esquina com o Boulevard Saint Michel. Os expressos foram sorvidos lentamente. Lázaro lembrou das manifestações de 68 ali naquela esquina. Fábio não mudava de assunto. O seu amigo baiano só fazia que sim e que não com a cabeça, sempre concordando com o companheiro. O tom era de súplica, quase um pedido de socorro. "Eu amo ela, Lázaro, eu amo, entende?" Lázaro pagou os cafés. Desceram o Boulevard Saint Michel calados. Sentaram alguns minutos na mureta do chafariz no final do Boulevard. Um cartaz colado no abrigo de ônibus na calçada convidava para ouvir Bach, aos domingos, na igreja de Notre-Dame de Paris, ali perto. Atravessaram, a passos lentos, a primeira ponte sobre o Sena, entraram na ilha da Cité — os comentários de Lázaro sobre a Conciergerie e a decapitação de Maria Antonieta provavelmente nem foram ouvidos pelo amigo.

Fábio começou a historiar com detalhes a operação de Copacabana.

— Mas Fábio, eu sei de cor e salteado o que aconteceu com você naquele assalto no Rio.

— Mas nunca é demais contar de novo, será sempre uma nova versão, um novo autor e, você, um ouvinte novo.

O baiano ouviu calado e resignado.

O assalto ao Banco do Brasil teve consequências dramáticas. O encontro foi num bar ao lado do Cine Rian, na avenida Atlântica, em Copacabana, às onze horas da manhã.

Acertaram os últimos detalhes a partir do plano traçado na reunião da Aliança Socialista Libertadora realizada na véspera numa casa em Santa Teresa. Do bar, após alguns chopes, três saíram a pé pela avenida Atlântica até a Figueiredo Magalhães e os dois outros — Fábio e uma companheira de nome Alice — seguiram na mesma direção, mas pela avenida Nossa Senhora de Copacabana. Barulhenta, com ronco de motores, buzinas, escapamentos à flor da pele, fumaça. A agência bancária ficava na esquina dessa avenida com a Figueiredo Magalhães. Os cinco deveriam estar ao meio-dia e meia já dentro do banco; era hora de almoço e troca da guarda. Cada um dos jovens levava um revólver 38, cano curto, cromado.

Fábio e seu companheiro baiano desviaram de uma pequena aglomeração formada diante de um violinista que, sob a luz amarelada de um poste, tocava Mozart, conforme estampado na partitura que se equilibrava num tripé prateado. Resolveram parar uns minutos. A caixa do violino estava aberta aos pés do músico, e sobre o forro vermelho espalhavam-se dezenas de moedas. Lázaro abaixou-se levemente e jogou uma moeda de um franco. Fábio fez o mesmo. Ouviram um *merci* baixinho. O concerto foi interrompido por dois policiais fardados, meio brutos, que relembraram secamente ao violinista a proibição de ensaios musicais à noite, principalmente na ilha da Cité.

Às treze horas em ponto passariam pela porta do Banco do Brasil de Copacabana um fusca branco, sem um farol na frente, com uma mulher loura no volante exibindo uma fita vermelha no cabelo; e um corcel azul dirigido por um homem uniformizado de motorista particular. Às doze horas e trinta e cinco minutos os acenos discretos dos companheiros da ASL deram partida à operação. Ao ser anunciado o assalto houve pânico. Um dos militantes manteve o vigia do banco sob a mira do revólver. Alice ficou petrificada com o 38 na mão. Tremia.

Por trás dos vidros fumês, o tráfego colorido fluía normalmente na Figueiredo Magalhães e na Nossa Senhora de Copacabana. A nota curiosa é que não se ouviam os roncos dos motores e as buzinas. No entanto, a fumaça dos escapamentos estava lá, provavelmente as acelerações e a bulha também. Era possível que os vidros fossem igualmente a prova de bala.

Alice tiritava cada vez mais, eram quase convulsões. Fábio empurrou-a para que saísse da catatonia. Daí tudo desandou. O safanão a fez puxar o gatilho. A bala acertou as costas de uma senhora que se pôs a gritar e clamar por Nossa Senhora. Alice deixou cair o revólver e começou a soluçar. Foi um deus nos acuda. Um senhor atracou-se brutalmente com ela. Fábio atirou no agressor de Alice. Um outro da ASL deu um tiro para o alto mas foi imobilizado por dois seguranças do Centro Comercial da Siqueira Campos que faziam depósitos no guichê. Os outros três companheiros da ASL tentaram fugir. Um levou uma canelada do vigia do banco e estrebuchou perto do caixa; Fábio e o outro compa nheiro (Paulão) jogaram os revólveres no chão e correram pela Figueiredo Magalhães em direção ao Túnel Velho. Só ouviam uma gritaria medonha atrás. Aproveitaram-se do trânsito intenso da avenida Nossa Senhora de Copacabana, o sinal abriu assim que eles atravessaram a rua. Um muro barulhento e fumacento os protegia da turba desenfreada que lhes vinha ao encalço.

A caminhada de Fábio e Lázaro foi sustada momentaneamente pelos dois braços abertos de um guarda que interrompeu o fluxo de pedestres para permitir a entrada de um carro oficial no pátio do Palácio da Justiça de Paris.

Fábio e Paulão pegaram um táxi — fusquinha amarelo, na frente só havia o banco do motorista — já na esquina com Barata Ribeiro, atravessaram o túnel e desceram no cemitério São João Batista. Entraram e permaneceram diante de uma sepultura por quase uma hora. "Era de uma mulher com um nome estranho e comprido — Stênia Alves Rocha Pinto Cardoso d'Almeida e Sintra, ela, de uma certa maneira, salvou a gente. Sempre guardei esse nome. Se eu tiver uma filha vou chamar de Stênia", costumava dizer Fábio em Paris.

No dia seguinte leram nos jornais todos os detalhes. A mulher do Banco do Brasil da Figueiredo Magalhães estava em estado grave, baleada por uma sanguinária quadrilha de bandidos de Belford Roxo. Um senhor que quis defendê-la foi selvagem e friamente executado por um dos assaltantes. Teve morte instantânea. Sobre a ação política da ASL nenhum jornal falava. Os três membros da organização que foram presos (a informação chegou logo à cúpula da ASL) conseguiram não contar quase nada. No entanto soube-se que Alice foi torturada no pau de arara e enlouqueceu, um dos rapazes se suicidou na prisão e o outro, de tantos golpes de cassetete na cabeça e na coluna, perdeu a fala e acabou paralisado da cintura para baixo. Paulão foi preso algum tempo depois e torturado na rua Tutoia, em São Paulo, e desapareceu. A coragem dos quatro foi excepcional, segundo relato dos próprios torturadores aos presos comuns das delegacias, que se encarregaram de contar para todo mundo.

— Eu sei tudo isso, Fábio. Da tua experiência de Copacabana, da tortura, de tudo, nós todos passamos por momentos horríveis.

— É, Lázaro, mas se eu tivesse realmente encontrado Muriel antes dessa loucura toda eu seria outro homem. Matei uma pessoa, Lázaro, matei com um tiro à queima roupa, entende? Entrei pra ASL porque só via injustiça no Brasil. O Brasil é uma senzala. Eu tinha família estruturada, mas fora de casa só via injustiça, miséria, ouvia falar de fome, uns tinham tudo, outros nada. Foi a minha própria família, sem saber, que, ensinando a ser justo e honesto, me levou a matar alguém. Eles me ensinaram a não aceitar a injustiça.

— É isso, Fábio, o Brasil é uma grande senzala. Agora imagina eu, que nem família direito tinha. E negro! A sensação de senzala era ainda mais nítida, só via miséria em Salvador. Ou era a religião, ou partir pra luta. A Mariana, na UFBa, escolheu por mim. No meu caso, não sei se foram os meus tiros que acertaram o cara em Feira de Santana; mas não importa, o outro que atirou era também um companheiro. E o triste saldo dessas duas expropriações bancárias é o fato que nos une, Fábio, você e eu, é o fato que une a gente pra sempre.

— O Senhor dos Passos que está na igreja do Menino Deus, em Florianópolis, foi esculpido por um baiano de nome Chagas, meu pai me disse, Lázaro, meu pai me disse.

Lázaro não relevou a observação do companheiro. Parecia absorto nos plainos turquesados dos mares da Bahia.

Iniciaram a travessia da segunda ponte — o Sena, naquele dia com alguma correnteza, barrento, iluminado por potentes holofotes instalados nas suas margens, acabava de se colorir de branco e vermelho, as cores de um imenso barco, repleto de turistas japoneses no convés, que deslizava suavemente sob os pés dos dois companheiros da ASL —, deixaram o prédio da Conciergerie para trás e entraram na boca da estação do metrô Châtelet. Aquele oco do mundo poria fim naturalmente ao assunto. Uma divindade qualquer do cosmo subterrâneo se encarregaria, com certeza, de sossegar-lhes as angústias. O catarinense ia na direção Porte d'Italie, seu companheiro, Porte de Clignancourt.

Fábio pegou a longa esteira rolante para chegar à plataforma da sua linha. Andava devagar. De algum dos corredores ladrilhados do metrô chegavam ecos de acordes de Janis Joplin e de Jimi Hendrix.

Três horas esperando Glorinha no largo de São Francisco, não, Fábio, eu na verdade cheguei em quinze minutos, vim correndo do Leblon, estava do outro lado do largo, na frente de uma loja de comidas do Norte, te olhando, era perigoso; Glorinha falando sem parar já no seu Dodge Dart indo em direção ao Leblon, a Rio Branco engarrafada, a gente tinha que olhar pra ver se ninguém da polícia estava contigo, Fábio, podia ser uma armadilha, você está com sangue nos ouvidos, está doendo?, não, passou, estou só enjoado, a coisa vai piorar nas universidades, Fábio, a polícia entra no campus, vai ter morte de novo e não dá em nada, os caras em São Paulo mataram o José Guimarães, lembra?, e ficou por isso mesmo, e o prédio da Maria Antônia é que acabou queimado, vão acabar pondo fogo na UFRJ, mataram Jorge e Davi, aqueles estudantes, e o que que deu? nada! você vai ter que se mudar do país.

Com o impacto do fim da esteira rolante da estação Châtelet, o corpo de Fábio ficou mais pesado.

10

NUMA QUARTA-FEIRA DE MANHÃ, perto da Páscoa, Fábio e Muriel foram a uma exposição de Chagall no Grand-Palais. Na véspera tinham comemorado o aniversário de Fábio. Muriel dera-lhe de presente uma caneta-tinteiro azul com tampa prateada, a que amarrara um enorme laço de fita vermelha. Ela escondia as duas mãos atrás das costas, qual mão? a direita! perdeu, a esquerda então!, também perdeu!, a direita!, perdeu de novo! Muriel, sorrindo, acabou por estender a mão com o presente. "A pena é para escrever coisas bonitas", recomendou a Fábio.

— Claro, Muriel, claro, vou escrever coisas bonitas só pra você.

Era um dia de céu azul, mas frio e com vento. Passaram quase três horas na exposição. Fábio, diante de *Os namorados no céu de Veneza,* exigiu que Muriel o acompanhasse numa viagem à cidade dos Doges. Ela seria a sua Dogesa.

Muriel preferiu *A amazona*. Na saída, caminharam até a Cours Albert I, onde ficava a embaixada do Brasil. A ordem e progresso tremulando no mastro do belo palácio diante do Sena deu calafrios na espinha de Fábio. "A saudade sabe a fel, Melusina." Ele deve ter pensado mas não disse, muito complicado para entender.

Homens da prefeitura de Paris, quase todos negros, varriam calçadas e sarjetas com grandes vassouras. Um dos empregados, duas cicatrizes em linhas simetricamente dispostas em cada lado do rosto, dobrava cuidadosamente algo parecido com panos de chão que havia ao lado dos bueiros. Nesses pequenos diques de pano encalhavam e soçobravam fantasias de papel e detritos trazidos pelas águas.

Viraram na avenida Montaigne, passaram diante de célebres lojas de moda e subiram os Champs-Elysées até a agência da Varig. Entraram na saleta de leitura. A profusão de jornais brasileiros embaralhou-lhes os olhos.

Brasil exporta mais / Nível de vida dos brasileiros aumenta / Brasil já é oitava economia do mundo / O inverno carioca promete calor, saia curta e muita água de coco / Barracos deslizam no morro Santa Marta: trinta mortos / Pós-Graduação do Brasil, segundo o governo, já está entre as primeiras do mundo / Massacre em favelas do Rio de Janeiro / Estudos da ONU afirmam que existem dezessete milhões de brasileiros vivendo na miséria absoluta, Governo tem planos para alterar radicalmente esses índices / Encontrada nova tribo de índios no Acre, perto da fronteira com o Peru./

Fábio folheou algumas revistas e leu editoriais de grandes jornais do Rio e de São Paulo. Sentia-se o hálito azedo da censura. Após ligeira troca de impressões sobre a França com um casal de brasileiros que aguardava a liberação de bilhetes, saíram e tomaram o metrô na estação Franklin Roosevelt. O vento encanado quase trancava a porta de vaivém da entrada da estação. Por proposta de Muriel, desceram em Censier e se dirigiram à mesquita, onde era comum se reunirem estudantes das faculdades próximas. Sentaram e encomendaram dois chás com menta.

No momento em que o garçom — segurando o bule com destreza, a quase trinta centímetros de altura — deixava o filete de chá escorrer no estreito copo de vidro decorado com motivos árabes, ouviu-se "Muriel!". Era um argentino, ex-colega dela na Sorbonne. O rapaz se aproximou, ela apresentou Fábio, e iniciou-se uma conversa que deixava Muriel encantada. Ela ria e perguntava por pessoas, ex-companheiros de curso. O argentino ia cada vez se encostando mais e, por momentos, segurava as duas mãos da colega de faculdade. Falaram também de música brasileira e argentina. Muriel adorava. Dissertaram sobre a diferença entre homem e mulher, intuição, machismo: ver negativamente a intuição feminina — "traços machistas latinos, muito típico do Brasil e da Argentina" — é burrice. Porque se existisse nessas proporções seria maravilhoso para as mulheres. O que é visto, às vezes, como simplicidade feminina, em contraposição a fatos criados artificialmente pelos homens, seria, na verdade, sinal de compreensão do mundo real por parte delas — se explicavam mutuamente Muriel e o seu amigo. O portenho parecia pouco se importar com Fábio. Até que numa hora perguntou a Muriel como ia Lázaro.

— Vai bem. Lázaro é amigo dele aqui, do Fábio.

— Ah, é! — respondeu o argentino. — O Lázaro é estupendo. A cara, a força, o humor, a inteligência e a vivacidade do Brasil.

Fábio aguentou mais dois minutos. A raiva contida revelada pelo olhar falso, surpreendido pelo sorriso traiçoeiro, desvelado pelo pigarro culpado.

— Se você quiser ficar, fica, Muriel, eu tenho que ir.

— Já, Fábio?

— Já!

— Não, eu vou ficar com Héctor.

Fábio deixou três francos sobre a bandeja dourada que servia de mesa e saiu. A cabeça foi latejando no trajeto inteiro até o primeiro gole de conhaque já no apartamento da Place d'Italie. "A Muriel esconde coisas, ela esconde coisas, tem que ser! Os três dias que passou em Marselha na semana passada, qual é a verdadeira história? Era um ex-amante?" Muriel viajara ao sul da França por três dias. Fora encontrar um parente distante que, segundo ela, lhe devia sete mil francos. O encontro seria num bar no porto de Marselha, onde o parente de Aurillac trabalhava. A barriga alisando o balcão, a sardinha engolida crua, a braguilha mal fechada, o hálito de vinho de garrafa de plástico, o soluço do álcool quente mal engolido queimando a garganta, se estampando nas bochechas violetas, na vermelhidão dos dedos fálicos — anéis e alianças impotentes ante carnes avassaladoras, os molares apodrecidos confeitados com pasta de *roquefort* mal deglutido decorando as gargalhadas histéricas. O parente distante ou o ex-amante devia ser assim. Mas Muriel voltara com os sete mil francos. "Era um dinheiro que pertencia à minha família. Não é muito mas agora é só pra nós dois, Fábio." Foi tudo o que o catarinense soube.

Muriel chegou em casa às onze horas da noite.

— Você foi foder com o Lázaro depois, ou com aquela bicha argentina, você já viu as horas?

— Para, Fábio, para.

— Para nada! Você acha que eu não sei? O cara sempre pertinho de você! Como o Lázaro, a toda hora perguntando "como vai a Melusina"?

— Meu amor, estou com você porque quero, meu corpo é só teu, não me interessa outro homem. Eu vivo a vida, se não te amar mais eu digo. A gente tem que viver plenamente, porque existir é isso, e só há isso; é o que existe de mais pleno, só perde pra morte, mas aí é o pleno vazio. E demorei porque ficamos relembrando do trabalho sobre o canto XI da *Odisseia*, que fizemos juntos pra Faculdade. Héctor pretende fazer tese sobre Homero. Ele sempre foi muito estudioso. Conversamos muito. Foi só isso que aconteceu.

Fábio olhou-a demoradamente. Segurou o cabelo atrás como se buscasse fazer um rabo de cavalo, deu alguns passos e desabou na poltrona. Ela devia ter razão. Ele estava cansado. Não seria justo que a felicidade se apagasse como chama soprada por dúvidas cevadas nas zonas sombrias do pensamento. Sentiu-se refeito, leve, podia tocar a sua vida nova, a mesma sensação juvenil de leveza na saída do confessionário, a alma lavada, e um mês novinho e inteirinho pela frente para pecar de novo.

— É, Muriel, pode ser, eu não sei, me desculpa. Eu te amo, você entende? Quase dei uma porrada naquele dançarino de tango.

— Ele é escritor, Fábio.

— É a mesma coisa! Quero ter filho com você, Muriel, se for uma menina vou dar o nome de Stênia. Não quero mais ficar sozinho, nunca mais. Aqueles cachorros nojentos dos torturadores quase acabam comigo, mas agora estamos aqui juntos.

Muriel sentou na cadeira de lona tipo diretor de cinema, Fábio deitou no sofá.

O pensamento navegava à garra.

A conversa no carro, Glorinha falando sem parar, o largo de São Francisco, a Presidente Vargas e boa parte da Rio Branco já tinham ficado pra trás, o Dodge agora parado no cruzamento da Rio Branco com a Almirante Barroso, a descarga dos ônibus na nossa cara, buzinas, anda seu barbeiro!, o motorista do Chevette zerinho não andava, anda, não buzina, Glorinha, minha cabeça está doendo muito, estouraram o nosso aparelho da Galeria Condor do largo do Machado, Fábio, Marlene, a freira, foi detida, desapareceu, está presa ou morta, foi barbaramente torturada, dizem que enfiaram símbolos religiosos nos genitais dela, prenderam João Pedro, Verinha também caiu, ela estava com o teu endereço na agenda, foram na casa do largo do França e não te acharam, no dia seguinte voltaram a Santa Teresa com Verinha, uma vizinha do largo do França viu ela no carro, toda arrebentada, ela apontava com o dedo na direção da casa, como conseguiram me achar então em Copacabana? É que encontraram também o apartamento da Prado Júnior, você foi lá uma vez, lembra, na véspera, o apartamento estava sendo vigiado, te seguiram, mas você está com muita sorte, só se Deus está mesmo te ajudando, camarada.

Fábio tinha os olhos úmidos e vermelhos. Muriel olhava-o fixamente.

11

NOSSO ROMANCE TEM AFETO, tema, emoção, entende, Muriel? A vida da gente tem trama, enredo, pô, rua da Relação, Estácio, largo de São Francisco, não basta?

— Fábio? / Quê! / É o Lázaro. / Eu sei. Está telefonando do jornal? / Não. Da secretaria da Faculdade. Notícia ruim. / Fala, porra! / Pegaram o Zé. / Zé Paulo? / Não, Zé Sérgio. / Puta merda, quando? / Já há uma semana. Só soubemos agora. Reunião essa noite de urgência, você não pode faltar, Fábio, você é o nosso intelectual. / Não enche, Lázaro. / Lá em casa, à noite. / Não dá pra ser em outra casa, Lázaro? As paredes da escadaria que levam ao teu apartamento têm milhares de melecas de nariz coladas do primeiro ao sétimo andar, e eu chego lá morto de cansado. E não tem telefone. / É coisa séria, Fábio, muito mesmo. Lá em casa às oito, ô barriga-verde! / Eu vou, companheiro, segura firme, estava brincando, é que não quero acreditar. Vou desmarcar o cinema com Muriel. Só não vamos chorar. Zé Sérgio não gostaria de ver dois marmanjos chorando. / Será que mataram ele, Fábio? / Não sei, Lázaro. Segura firme. Estamos nessa juntos./

Carta com selo azul, essa tinha demorado quinze dias pra chegar de Florianópolis, Alicinha, tia Maria, tio Amâncio, tio José dos Santos, tio José Nunes, Luís, prima Jacira, tia Zezé, ia esquecendo de dizer também, Fabinho, que na festa do Divino a coroa com orquestra e tudo veio aqui pra casa, o pai fez um caldo de peixe que ficou uma delícia, o seu Antônio, do armazém, continua com a rabeca, o velho Macieira, da gaita, é que morreu, o sobrinho é quem toca, o da viola é o Augusto, que era teu amigo, perguntou por onde anda o Fabinho, falei que em Paris e ele disse gente coisa é outra fina, pena que não deu pra ver a tua carinha aqui, mas pedi pra que o teu pai e os teus irmãos, na hora de beijar a pombinha, pensassem em ti; um dia vou voltar, mãe, prometo, com um Brasil mais justo, prometo.

A notícia era, de fato, alarmante. Zé Sérgio tinha um monte de endereços, material e contatos com os companheiros do estrangeiro. Peixe grande. Pai dono de transportadora marítima. Moravam em São Paulo, nos Jardins. Gente de dinheiro. Mas não havia advogado que tirasse do DOI-Codi. A reunião, na quarta-feira, foi tensa. Alguns não possuíam o estatuto de exilado. O governo brasileiro poderia solicitar informações ao governo da França. Quem estivesse ilegalmente em território francês seria descoberto. E não era simples conseguir o estatuto de refugiado, estatuto que todos buscavam. Com ele conseguia-se até bolsa de ajuda de custos das instituições francesas. Fábio recebia uma dessas bolsas. Quem estava legalmente na França gozava de todos os direitos e não tinha o que temer. Para aqueles em situação precária, mudança de país, troca de identidade, pedido de asilo à embaixada do Chile, enfim, tudo foi aventado. A reunião se estendeu até as quatro da madrugada. O primeiro metrô saía às cinco e meia. Fábio e mais seis companheiros ficaram uma hora agarrados, em silêncio absoluto, à grade da estação Marcadet-Poissoniers, até a abertura das portas, que foi feita com escândalo por uma martiniquesa uniformizada. Escândalo pela estridência do *bonjour messieurs*. Um cheiro de croissant e de pão assando no forno começava a sair das padarias e dos cafés em volta da estação. No dia seguinte telefonemas e telefonemas. Alguns do jornal, muitos da universidade e de cabines públicas; na medida do possível da casa das pessoas. Muriel ajudou nas chamadas. Dava os telefonemas mais formais à Polícia Federal e ao Ministério da Justiça em Brasília; dizia que estava telefonando da França, era do jornal *Libération*, queria notícias sobre o terrorismo no Brasil. Fábio se orgulhava da competência da companheira.

Glorinha falando que algum anjo da guarda me acompanhava, só podia ser! o apartamento imenso com vista para o Jardim de Alá, Glorinha era rica, ficasse tranquilo, por ora procuravam um Wallace nascido em Vitória, as forças da repressão política não conheciam, pelo menos ainda, o

Fábio de Florianópolis, o passaporte estava pronto, certinho, tudo, mas era melhor sair do Brasil por terra, pela Argentina, iam descobrir, pela polícia capixaba, que a carteira do Wallace era falsa, tinha que cuidar, devem ter tirado fotografia de você, não força o anjo da guarda, Fábio, não, Glorinha, não, está bem.

Havia um telefone público em Denfert-Rochereau que funcionava sem fichas, direto, de graça. A telefônica francesa não vinha consertar, ninguém sabia por quê. A cabine ficava perto de uma mercearia especializada em produtos das Antilhas e da África. Um cheiro bom de canela, colorau, pimenta, goiaba e carambola anestesiava parcialmente a tensão. O pessoal da Aliança Socialista Libertadora ia telefonar ali em grupo de cinco ou seis, todos na fila enquanto um falava com o Brasil. A fila dissuadia os outros estrangeiros (latino-americanos e árabes).

A cabine de Denfert se tornava íntima. A dona da mercearia, uma senhora negra, alta e corpulenta, elegante, lenço vermelho na cabeça, argola dourada nas orelhas — para os militantes cariocas ela lembrava a Paula do Salgueiro —, já devia conhecer aquelas caras todas. Depois ouviu-se que os serviços de informação da França gravavam os telefonemas daquela cabine. Em princípio, não havia o que temer, mas nunca se sabe, vai ver que há entendimentos diplomáticos entre o governo de Pompidou e o de Médici, será? Estava todo mundo em pânico.

Nessa quinta-feira, depois de mil encontros, contatos e telefonemas, Fábio voltou para casa às oito da noite, exausto.

Assunto tenso, cifrado, choro frequente dos dois lados da linha telefônica, notícias sobre tortura no Cenimar. Tocou a campainha. Não achava a merda da chave na bolsa a tiracolo de couro ensebado. Muriel abriu. Estava de camisola. Curta e transparente. Preocupada, suas primeiras frases eram sempre as mesmas nessas ocasiões. Português correto, as expressões idiomáticas algo exageradas.

— Oi, bicho, meu amor. Estava preocupada. O Lázaro acabou de sair daqui.

— É? Por quê?

— Achava que você já tinha voltado. A informação agora é certa.

— Qual?

— O amigo de vocês, o Zé Sérgio, morreu mesmo. Metralhado. Parece que reagiu à prisão.

— Mas falou antes?

— Falou o quê?

— Falou, porra!

— Não sei, pergunta pro Lázaro, Fábio.

— Mas o que que ele queria?

— Já disse!, dar a notícia.

— Você recebeu ele de camisola? Quanto tempo ele ficou aqui?

— Dois minutos, nem tirou o casaco. Não, botei a camisola agorinha. Tem uma encomenda pra você aí.

— Foi ele que deixou?

— Não, vem do Brasil, da tua família. Florianópolis.

O pacote, desses próprios dos Correios, amarelo, que se abrem como um livro, estava na prateleira, acima da qual, colado na parede, havia um cartaz onde se lia: "Contra o governo militar do Kuomintang e os governos parlamentares. Pela ditadura do proletariado."

Muriel fitava o companheiro. Parecia que ela não piscava; mais ainda — parecia que as palavras diziam uma verdade, os olhos outra. Fábio escolhesse entre o verbo combinado, decorado, imitado e o cromatismo rebelde, livre, desconhecido.

12

FÁBIO ABRIU DELICADAMENTE o pacote. Os selos eram azuis, com a ponte Hercílio Luz e a capital catarinense ao fundo. O mar e o céu da sua infância se confundiam. Dentro da caixa havia um braço de madeira, melhor, um cotovelo. Media mais ou menos vinte centímetros. Acompanhava-o uma carta do irmão.

Meu caro Fabinho: Aqui tudo bem. O pai fez questão de mandar o cotovelo velho do São Jorge que ele está substituindo pra igreja de Biguaçu.

É pra você, sempre que olhar o pedaço de santo, pensar na gente, usar como talismã. E achar que é impossível fazer outro igual. Mas quando você voltar verá. Ele insiste pra reparar nos buraquinhos de cupim. Cada buraquinho é um cupim. Já está terminando o novo em madeira de lei. Ficou uma beleza.

A igreja de Biguaçu está igual. Agora vai ter um São Jorge renovado. O cotovelo parece que teve mais cupim porque a tinta de proteção tinha sido malfeita. Pai também pede pra especificar que o resto do corpo do santo está bom, que nenhum dragão passe por perto! Quando estiver junto do resto do braço nem vai se notar que o cotovelo é de outra época. Mãe está bem, manda beijos e repete sempre que não aguenta de saudades. Zequinha passou no vestibular de Letras na Federal (ele quer que diga UFSC). Vai ficar desempregado quando se formar, mas agora vai ter bolsa, parece que se chama monitoria. O guri gosta mesmo de poesia, espero que não fique meio abichalhado! Ele e mais seis amigos foram acampar na lagoa do Peri; falou que a água da lagoa é indispensável pra toda a cidade de Florianópolis, ele chama de manancial hídrico, deve ser como se diz na Faculdade. Você se lembra daquele menino que chorava na igreja de São Francisco e gostava de brincar de jogar pedras na baía Sul? Pois é, o Zequinha cresceu. A tia Inês, acho que você já sabe, teve um derrame, não consegue mais falar, a única frase que ela diz é "fui! cacaca!". Eu continuo na loja de parafusos e arruelas. Vou ter aumento de salário em breve. Espero que tudo esteja bem aí contigo. Estranhamos a falta de notícias. Enquanto eu escrevo o pai e a mãe estão chorando, chorando mesmo, de saudades. Zequinha (quer ser chamado de José) está mandando abraços (há uns três anos já não beija a gente, diz que não se deve mais). Acho mesmo. Ele agora vive pra cima e pra baixo na Filipe Schmidt. A mãe tem medo que acabe servindo de estaca para os galhos da figueira da Praça XV. O pai pede pra informar que botou o nome de Fábio no galo de briga que ganhou do tio Adalberto. A farra do boi continua. Fomos lá no sábado de Páscoa. A mãe e o pai foram comer um caldo de peixe no tio José, que comprou uma nova canoa bordada, a Ponta Delgada III (é o tio José dos Santos, o tio José Nunes está trabalhando numa salga em Itajaí). A loja de parafusos vai mudar pra rua dos Ilhéus, altura da Anita Garibaldi, por ali. Mas ainda não está certo. O dono quer que ela fique mais central. Pra mim vai ser melhor. Vai um forte abraço e beijo de todos. Consegui comprar um telefone pro pai e pra mãe. Ela diz pra escrever que te adoramos. Altair./

O novo endereço da loja de parafusos. Elke caiu ali perto. O estrondo dos cascos dos cavalos nos paralelepípedos. A cena de cinema. Elke, de Jaraguá do Sul, descendente de alemães, fazia Educação na Federal e gostava de enunciar que a solução para o Brasil era pacífica ou não era. Um ensino primário e secundário de qualidade para todas as crianças brasileiras resolveria em quinze anos os problemas mais agudos do Brasil. Costumava dizer ainda que cursara o Normal no Colégio Sagrada Família, em Blumenau, e já lecionara em escolas de Guaramirim e Jaraguá. Formada, contava voltar para a região e só se dedicar ao ensino. "Quero ser professora a vida toda, é a minha maneira de contribuir para o bem do país", ensinava.

Naquela vez tinham se encontrado — deviam ser aí por volta de trinta, quarenta, entre rapazes e moças — diante do teatro Álvaro de Carvalho em Florianópolis. Elke saboreava lentamente pedaços da coruja que levava num saco de papel de uma padaria da rua Arcipreste Paiva. A Fábio lhe tocou um gentil pedaço e um belo sorriso da professora. Gritando frases feitas contra a ditadura militar e o golpe de estado de 64, o grupo desceu a rua dos Ilhéus e concentrou-se na esquina com Anita Garibaldi. Outro grupo viria pela Tenente Silveira e o encontro se daria entre o Palácio do Governo e a Catedral. Mas a cavalaria atacou de surpresa. E com muita violência. Um sabre arrebentou logo de cara a cabeça da professorinha de Jaraguá do Sul. Um pedaço da rosca voou longe. Elke rodopiou e tombou, os braços abertos, os cabelos estirados como um tapete dourado nos paralelepípedos da Anita Garibaldi, o ouro da cabeça transformado em lama vermelha. O soldado apeou do cavalo sanho, meio apavorado, dizendo "Esse sabre não tem fio, não entendo, acho que bati com muita força!" e ajudou Fábio a levar o corpo frágil da estudante para a calçada. Outros soldados vieram, aos gritos, alertar o companheiro para que montasse e saísse dali. Elke foi transportada ao hospital, onde chegou com vida. Mas não resistiu. Morreu duas horas depois. A passeata, prevista para ter uma centena de estudantes, acabou se transformando, durante todo o dia, em uma manifestação popular de quase três mil pessoas concentradas na Praça XV.

Fábio guardou a carta e a caixa na bolsa de couro a tiracolo.

13

Lázaro era o mais ameaçado. Vivia clandestinamente em Paris. Conseguira sair do Brasil com seu verdadeiro passaporte. Vacilo das autoridades federais. Embarcou num transatlântico inglês na Praça Mauá, no Rio, e trabalhou como garçom no restaurante da primeira classe durante as três semanas de viagem do navio até a Itália. Seu passaporte tinha sido carimbado apenas ao entrar na Itália, quando atravessou a fronteira com a França de trem o agente francês limitou-se a conferir a fotografia.

Ingressara na ASL na Universidade. Uma das cabeças do movimento trotskista era aluna do curso de Ciências Sociais da Universidade Federal da Bahia e tinha como colega um jovem alto, magro, mas musculoso — o que ele tinha de taciturno tinha de sedutor —, com olhos amendoados cor de mel, apenas um tom abaixo da pele cor de catuto escuro, o cabelo afro amarrado num rabo de cavalo com vistoso laço de fita do Senhor do Bonfim. (Chegaram a dizer que foi ele quem inspirou a moda desse penteado para homens no final dos anos 70. Da mesma maneira, enquanto todos usavam calças boca de sino, ele usava calça Lee justa e estreita no tornozelo, o que alongava ainda mais a sua silhueta.) Lázaro se dizia enojado do governo dos militares. "Alguém deve fazer alguma coisa contra esses brutos", repetia. Começara a ouvir falar para valer de Marx, Engels, Che Guevara, Trotski e Mao na Universidade. Gostava de ler poesia engajada e escrever contos. Mariana — a liderança política — apaixonou-se por ele. Ela introduziu Lázaro numa operação de expropriação bancária em Feira de Santana. A poucas horas do assalto, tinha havido uma desistência irreversível. "Então vai o Lázaro", determinou a autoritária Mariana, contra a opinião de vários do grupo, que alertavam para a falta de treinamento do jovem estudante. Houve longas discussões, mas acabaram votando favoravelmente à proposta de Mariana. Ao novo militante coube uma metralhadora INA. Teria sido ele o autor dos disparos que — na desastrada fuga com o dinheiro — arrebentaram a cabeça de um cliente da agência da Caixa Econômica daquela cidade. Após a operação, Doce Caramelo passou a se esconder e a frequentar as reuniões clandestinas do grupo, mas sempre tipo baixo clero. Mariana falava e agia por ele, a ele cabia precipuamente ação na cama. E Lázaro foi se acomodando a essa situação de homem a serviço de uma causa justa com a tarefa de defender a trincheira libidinosa das militantes. "E daí, você acha que a Olga Benário e a Rosa Luxemburgo não trepavam?" — resignava-se ele. "Até as da Juventude

Operária Cristã." Mas seis meses depois da imersão nos estudos revolucionários, já estava entre os melhores teóricos da ASL-Bahia. E diminuíra as suas investidas donjuanescas, duramente criticadas pela organização.

As relações de Lázaro por mulheres interpostas se estendiam, de fato, por toda a parte. Por intervenção de uma amiga chegou à redação do *Le Monde*, em Paris, por uma outra se inscreveu na Universidade de Vincennes (Sociologia), por uma rival dessa matriculou-se na Sorbonne-Paris III (Cinema), por uma argentina — essa a mais interessante, segundo ele — conseguiu emprego de meio expediente numa instituição internacional para refugiados políticos. Uma vez, até, em uma mesa redonda no Instituto de Estudos sobre o Desenvolvimento Econômico e Social — IEDES, composta por conhecidos intelectuais brasileiros e franceses, lá estava Lázaro entre os debatedores dando um depoimento sobre a sua experiência pessoal de vida clandestina no Brasil. A coordenadora da mesa, conhecida socióloga francesa, o olhar lânguido, parecia só ouvir Lázaro, e olhava para a plateia fazendo caras e bocas a apoiá-lo e a pedir atenção máxima do público; quando começavam as comunicações dos intelectuais, seus olhos pareciam apagados.

E agora talvez uma mulher pudesse salvá-lo da difícil situação política. Quem sabe a socióloga? Ou uma conquista nova? Talvez a argentina?

Glorinha me hospedou, o companheiro ressuscitado, no hotelzinho cinza também com vista para o Jardim de Alá, que ficava perto da casa dela, esperando a viagem, era melhor aguardar alguns dias, tudo se acalmar, Glorinha tinha sempre notícias, era Juíza do Trabalho no centro da Cidade, o pai desembargador, o espelho do quarto do hotelzinho era amarelado e trincado, eu estava horrível, Glorinha trouxe roupas novas e caras, você não pode parecer um mendigo, Fábio, tem também coisas de toalete, você tem que ficar bonito, sempre tem alguém em algum lugar esperando pela gente, fica no quarto, dorme, vai tomando esses comprimidos pra dor, você vai viajar em breve, França ou Chile.

A Aliança Socialista Libertadora buscava saídas. O uso de antidepressivos e tranquilizantes aumentou. Um médico uruguaio casado com uma francesa dava as receitas exigidas pelas farmácias.

14

Lázaro, certa vez, seguramente por conta desse clima de derrota, fraquejou acintosamente. Foi num velório na casa de Danilo, conhecido dirigente do Partido Trabalhista Unificado. No embalo do choro de muitos dos presentes, começou a soluçar como um menino abandonado. As pessoas que choravam choravam a morte do professor Carlos Walter Alves, um dos fundadores da Universidade de Brasília, que, exilado em Varsóvia, acabara de morrer num hospital parisiense, onde tinha sido internado após uma sofrida viagem de trem da capital polonesa à francesa. Muitos se condoíam do jovem companheiro descontrolado e festejavam a solidariedade das esquerdas, que levava dissidentes do Partido a se solidarizar com o companheiro do PTU no exílio.

O morto, as mãos cruzadas ao peito, as feições serenas — quase se adivinhariam a consciência e o olhar tranquilos atrás das pálpebras fechadas. Dir-se-ia que já se encaminhava para o paraíso social. Lázaro, ao contrário, tinha os dedos das duas mãos enfiados no cabelo afro, olhar desesperado e um medo abissal. Para muitos dos militantes não era medo, era culpa, essa sim abissal, que todos que se afastaram da verdadeira sagrada família marxista acabariam por sentir. O partido era um só, com um só comando. E, como estratégia de transformação, "a luta armada e a tomada pura e simples do poder pelos operários e camponeses sem organização é um erro, ou de adolescência ou de equivocados mesmo. Quando crescerem ou puserem os pés no chão vão dar razão a nós, vamos desmontar a ditadura com inteligência", perorava o companheiro de viagem do morto. Lázaro — não se sabe se por se sentir atingido por algumas reflexões das pessoas presentes —, subitamente, se pôs a berrar como um insano.

— Eu vou ser preso, porra, eu vou ser preso! E ninguém aqui vai se preocupar com isso, eu sei muito bem. Aqui só tem branco ou mulato com alma de branco. Eu sou negro! Eu sou negro! A polícia daqui só pede documentos no metrô pra mim, pra vocês nunca! Vocês são tudo um bando de filhos da puta, tudo riquinho.

A maioria das pessoas estava mais desluzida que o morto. Fábio puxou o amigo pelo braço e saíram. Soube-se mais tarde que maoístas, trotskistas, socialistas, católicos e outras correntes que se formaram no exterior também se retiraram logo depois. Ficou só a família. Mas as homenagens da utópica Aliança Popular Brasileira no exílio ao Carlos Walter Alves tinham sido feita, era o reconhecimento de todas as correntes e tendências. Só o Lázaro melou tudo.

— A coisa está difícil pra nós, Fábio! É só isso, cacete, não aguentei. Eu sou pobre, pô, você entende? Passei fome. Cresci sem mãe nas ruas de Salvador. Fui criado de favor por uma família. Minha vida era mais no largo do Cruzeiro, largo do Carmo, no Bonfim ou na frente da igreja de São Francisco do que propriamente dentro de uma casa. Colégio Municipal, passei pra UFBa não sei como. Era múltipla escolha, cruzinha — explicava Lázaro na mesa do café do Boulevard Raspail onde os dois companheiros tinham entrado por proposta de Fábio. Tomavam chope misturado com água tônica.

— Eu sei o que é isso. Você acha que eu sou rico? Me senti atingido pelas tuas palavras no velório do Carlos Walter. Meu pai é marceneiro. Também estudei em colégio pobre e consegui entrar pra Federal em Florianópolis. Na minha época, acho que alguns poucos anos antes de você, o vestibular era discursivo — contemporizou Fábio.

— O pessoal daqui não gosta de mim, Fábio!

— Não gosta como? E as mulheres que você tem?

— São estrangeiras.

— E a socióloga, a do jornal, a de Vincennes, a da Sorbonne?

— É diferente, Fábio. Acho que só a Melusina mesmo que gostou de mim.

O hotelzinho do Leblon, vi um assalto na rua em frente, o ladrão correu pra Cruzada São Sebastião, não sei se queria um mundo melhor e mais justo, mas que queria a carteira do velho queria; a expectativa da viagem, os jornais do

Rio falando da potência brasileira, país do futuro, das exportações, da entrada fantástica de divisas, almoço com Glorinha no restaurante do outro lado do Jardim de Alá, o chope gelado, as insinuações da companheira, também sou mulher, a volta pro quarto do hotel com Glorinha, agora linda, os olhos negros devoradores, os suspiros, as mordidas, a voluptuosidade do sexo que eu já tinha esquecido, Glorinha arrependida, adorei mas não deve, Fábio, é porque você vai embora companheiro, só queria ver se tudo estava funcionando em você, se vai ser possível encontrar outra mulher no estrangeiro.

Naquela mesma noite, em Paris, Fábio teve um sonho esquisito. A sua cama estava dentro de um grande viveiro. Os pássaros voavam e cantavam, patativas, pintassilgos, trinca-ferros, sabiás, gaturamos, bicudos, azulões, curiós, cantavam voando em circunvoluções, sem parar, não pousavam, não havia poleiros. Fábio foi acordado pelo despertador. Ouviu o canto de um melro, abriu um pedacinho da cortina, o pássaro estava lá, na antena de televisão do prédio da frente, o bico amarelo contrastando com o negro das penas, entre chaminés desativadas e telhados cor de chumbo. Muriel ainda dormia, de bruços, os cabelos divididos. Usava sua camisola rosa, o cobertor até a cintura, o rosto angelical; há algumas horas atrás o prazer do sexo, os gemidos asmáticos, o palavrão sussurrado, as súplicas, depois o polegar dele na boca, era ela? Era a mesma pessoa? Fábio foi para a cozinha. Acendeu o fogão, ligou o rádio. Beaubourg ia ser inaugurado no prazo previsto.

15

NA SEGUNDA REUNIÃO após a notícia da queda do Zé Sérgio a decisão foi tomada. Lázaro deveria se casar com uma *française*. Ele até já fumava *Gauloises!* Receberia a nacionalidade francesa. Bastava solicitar. Não foi difícil encontrar uma. Não era bem uma francesa, mas até aí! Era preciso conversar com Farida. Argelina de origem, porém detentora de uma *Carte Nationale d'Identité* e de um passaporte da França. "E Doce Caramelo já comeu! metade do serviço já está feito!", brincou Inaldo Sako, o Jap de Presidente Prudente.

Farida, o cabelo negro encaracolado, alta, olhos escuros, olhar apimentado e malicioso, o nariz ligeiramente adunco, aceitou depois da terceira conversa. A ASL fez uma vaquinha e conseguiu levantar dois mil e quinhentos francos, isso ajudou. A argelina não pestanejou e aceitou prontamente a soma. Uma guria da Aliança Socialista Libertadora se encarregou de confidenciar a ela que os pais de Lázaro tinham várias propriedades (hotéis e rede de lanchonetes) no Brasil e que, quando tudo melhorasse politicamente, eles poderiam ir se instalar na Bahia. Farida ia gostar. A argelina perguntou várias vezes por que razão Lázaro parecia então ter tão pouco dinheiro. "Os pais dele são muito seguros e querem que ele aprenda a trabalhar para dar valor ao dinheiro" — essa observação convenceu Farida.

A união durou dois meses. A argelina se encheu do marido cachaceiro, mulherengo e sempre ausente. Aquele brasileiro que parecia um amor só fazia e só pensava em reunião reunião reunião: *C'est chiant!* E Farida, dizia-se, namorava há anos com um marroquino, fiscal da SNCF, a Companhia Francesa de Transportes Ferroviários, ou Serviço Nacional dos Caminhos de Ferro, como diziam os portugueses em Paris. Khaled teve uma conversa com Lázaro. O baiano — como sempre — foi salvo pelo gongo. Farida recebera uma oferta para um trabalho de telefonista (*standardiste*) em Toulouse, numa firma argelina. Estava farta de fazer faxina e no sul da França ganharia o dobro. Além disso, poderia trabalhar sentada. Khaled ia junto, havia também um cargo de contínuo para ele na mesma firma. Descobriu-se que o fiscal da SNCF fora transferido justamente — que coincidência! — para Toulouse. Foram-se, mas a nacionalidade francesa de Lázaro ficou. O único compromisso de Farida e Khaled era que, para efeitos legais, ela deveria viver oficialmente com Lázaro por mais seis meses. Estava visitando primos em Toulouse! A polícia podia vir verificar se tinha sido um casamento forjado! As religiões afro-brasileiras, o islamismo e o catolicismo aprovavam o divórcio informal de Lázaro e Farida, o marroquino da SNCF e a ASL davam a bênção final.

Numa sexta-feira, Fábio e Muriel convidaram Lázaro para festejar a nacionalidade e a liberdade conjugal. Muriel, naquela noite, os três já no fim da segunda garrafa de Beaujolais, estava falante e sorridente como nunca. Ademais, havia tomado algumas doses de *salers,* bebida da sua região natal que fazia questão de ter sempre em casa. Vestia uma minissaia preta, sem meias, com uma camiseta branca e larga, usada por fora, que competia com o comprimento da saia. Sentada no chão, nas almofadas, as pernas mudando de posição a toda hora. Fábio entre a sala e a cozinha. Tinham preparado um rosbife. Em certa altura, Muriel deitou-se de bruços, a camiseta e a saia subiram mais alguns centímetros. Fábio continuava na cozinha. Lázaro, meio se arrastando, se aproximou de Melusina e as suas mãos negras, como que atadas por misteriosa cauda saindo daquela mulher, seguraram o alto das coxas lácteas da sua ex-companheira. Com o polegar direito Lázaro roçou um relevo úmido e quente apenas velado por fino tecido de seda clara guarnecido com apurada renda. O corpo em preto e branco estremeceu num suspiro. Subitamente, parecendo queimado por um cigarro, o réptil enrodilhado soltou as mãos de Lázaro quando se ouviu, em francês, *voilà.* Fábio chegava da cozinha com a travessa fumegando. Muriel Melusina fixou seus olhos coloridos no intruso.

16

FÁBIO COSTUMAVA ESTUDAR na Biblioteca Sainte Geneviève, em frente ao Panthéon, pois era a única das cercanias que permanecia aberta até tarde. Numa dessas noites de muito vento, no meio da semana, jantou com Muriel no restaurante universitário situado quase na esquina com a rua Mouffetard. Tomaram, depois, um café na praça da Contrescarpe. Muriel foi para casa de metrô, por volta de dezenove horas e trinta minutos. Fábio para a biblioteca. Direções opostas. Ele passou em frente ao restaurante que Verlaine frequentava e que lhe levava o nome — pensou convidar Muriel para irem jantar aí um sábado desses —, atravessou a rua diante de um grande e tradicional liceu, e já na porta da Biblioteca mudou de planos. Ia folhear alguns livros na livraria — aberta até as vinte e duas horas — que fazia o ângulo do Boulevard Saint Michel com a praça da Sorbonne. Seguiu pela rua Cujas, desceu Saint Michel, levantou a gola do casaco — o vento varria folhas e papéis espalhados pelo chão e entrava em qualquer orifício do corpo que não estivesse coberto — e, ao invés de entrar na livraria, sentou-se num café com vistas para o relógio da Sorbonne. O surpreendente vento frio do mês de maio ficava lá fora. Pediu uma cerveja. Levava o copo à boca quando avistou Muriel, de costas, do outro lado do Boulevard, já dobrando a rua Vaugirard, em direção à rua Monsieur le Prince. Fábio, afobado, chamou o garçom. Tinha só uma nota de cinquenta francos; precisava esperar os quarenta e sete francos do troco. Pegou as quatro notas e as moedas que o garçom depositou no pequeno pires sobre a mesa, saiu apressadamente — um travo de amargura e angústia na boca — e atravessou Saint Michel. Já na rua Monsieur le Prince olhou para baixo, para cima, nada. Seguiu em direção ao teatro Odéon, passou em frente a um restaurante de frutos do mar, nada; foi em direção ao jardim do Luxemburgo ainda aberto, entrou na aleia principal, caçando com o olhar por entre plátanos, flores, tílias e carvalhos copados e tingidos de negro, um animal solitário solto na floresta. "A filha da puta fingida, onde terá se metido? Deve ter ido, ladina e sorrateiramente, na casa de alguém entregar o corpo, aquela cadela!" O gosto ruim na boca aumentara. Um ressaibo acre que lhe azedava as palavras, empesteava os sentimentos e necrosava a vida.

Fábio — um equilibrista a quem era negado o fio, sentou num banco, praguejou, resmungou, jurou vingança e chorou copiosamente. Ninguém via. Mas a culpa, porra, era dele mesmo! Aquela lascívia toda, aquela volúpia; e da luxúria acabava sempre vindo a dor pelo esvaziamento do corpo. Um pedaço dele se esvaía num jato pegajoso, quantos pedaços ainda sobrariam? Quantos pedaços ela já tinha levado? E dela nunca saía nada! Meia hora depois levantou e foi andando, a garganta com gosto de sangue, os olhos molhados, até Port-Royal. Olhou a *Closerie des Lilas* — ela já veio comigo aqui!, decerto já andava dando pra todo mundo — e enfurnou-se no túnel do metrô. O eco dos passos nos corredores, o mesmo barulho de salto de sapato ouvido, criança, no corredor central da Catedral vazia de Florianópolis, os santos entre ameaçadores e acolhedores vigiando dos nichos na penumbra. Desceu na Place d'Italie.

Muriel não estava em casa, claro. Abriu uma garrafa de conhaque e bebeu no gargalo. Ouviu Elis Regina e Mercedes Sosa. Onze e meia nada, meia-noite e meia nada, uma e vinte toca o telefone.

— Fábio?

— É.

— Estou aqui na casa da Sylvie, perdi o metrô.

— Mas você não disse que da Contrescarpe estava indo pra casa?

— Mudei de ideia, a Sylvie pediu pra ajudar ela num relatório.

— É, mas eu te vi no Quartier Latin.

— Como, se eu vim direto aqui pro 18ème?

— Pergunto eu como! E vai se foder, porra, que eu não sou nenhum babaca.

— Fábio, não recomeça, você não pode ter me visto, não era eu.

— Você está telefonando de onde, Muriel?

— Da Sylvie, já disse.

— Então desliga que eu ligo de volta.

Fábio, titubeante, pegou a agenda com os telefones. Teve ganas de matar. Como na rua da Relação. Sentiu gosto de vômito na boca. Um esparramar de ódio capaz de inundar planícies inteiras de bílis tão incontrolável quanto aliviadora. Discou Sylvie.

— Alô!

— Alô, Fábio, deixa de ser infantil. Onde você achava que eu estivesse?

— Não sei, Muriel, não sei. Você vai dormir aí mesmo? O Lázaro não mora por aí?

— Olha, Fábio, *va te faire foutre!*

— Vai se foder você!

Fábio manteve-se entre o sonho e a vigília. O debate cultural do momento em Paris dizia respeito ao ritual de certas tribos africanas, que consistia em cauterizar o clitóris das meninas no nascimento. Devia-se respeitar o costume, em nome da soberania cultural dos povos, ou evocar os direitos comuns e fundamentais da humanidade? Não adiantaria, era melhor matar Muriel, uma faca, guilhotina, ela é francesa! Mataram a Elke, que só pensava no bem. Não é justo! O sangue dela se esparramou nos paralelepípedos da rua dos Ilhéus com Anita Garibaldi. Enquanto isso, em Paris, o que fazia Muriel? O dinheiro do cara de Marselha, se referia a quê? Mas vai ver que não era ela mesma naquela noite na rua, uma inocente, será que estou delirando? Ela não pode estar fingindo aqueles prazeres todos. Por que então em certas horas quase grita que eu sou o melhor homem, o melhor marido, o melhor amante? Aquele cheiro do seu prazer segregado de gretas viscosas que se entranha nas quase invisíveis dobras cutâneas da ponta dos dedos da gente e que, durante dias, não sai nem com detergente; aquele cheiro de mel avinagrado que se cose ao aroma dos pratos, embaralha o perfume das flores, alguém mais tinha extraído dela aquela essência? Não era ela, diabo, não era ela. Tem muita gente com os cabelos negros assim! Vou voltar, sim, sim, vou voltar, Zequinha foi acampar, muito longe, já pensou, Fabinho?, foi lá pra Pântano do Sul, disse que quando foram no Pontal, da última vez, não foi bom, ele está estranho, um dia desses levantou cedinho e cortou a goiabeira com um facão, assim, de vereda, e as goiabas tudo de vez ali no chão, me deu tanto dó!, não sei o que que está acontecendo com ele, de primeiro pensei que fosse bebida, o Altair acha até que ele está fumando maconha, arranjou uma namorada nova, a Tuca se mudou, a família foi pra outra casa, na Trindade, mas acho que eles já tinham terminado mesmo, tem muita guria boa aqui em Florianópolis pra casar, escreve, Fabinho, estamos sentindo falta.

Muriel regressou por volta de nove da manhã. Fábio pediu-lhe desculpas, culpa confessada, revelada, doída. Se enganara, tinha dito bobagens, estava muito cansado nos últimos tempos, a tortura no Brasil continuava, ele mesmo se lembrava dos choques elétricos nas partes genitais, dos objetos enfiados pelo guarda libidinoso e das centenas de violentas pancadas que um brutamontes lhe desferira na cabeça com uma lista telefônica, na rua da Relação, no Rio — "Você vai conhecer de cor todos os telefones do Rio, ô comuna!" Amigos continuavam morrendo. Os militantes da Aliança Socialista Libertadora estavam na alça de mira. Zé Sérgio tinha caído. Os gorilas torturadores do Brasil iam descobrir endereços, intimidar famílias dos membros da ASL. "Diz-se que uma ação do tipo PARA-SAR — gente da Aeronáutica tinha planos para assassinar, em 68, dezenas e dezenas de lideranças políticas e estudantis do país, entende, Muriel? — está sendo montada de novo. Desculpa, Muriel, desculpa, você é a minha salvação, desculpa!"

17

Uma outra notícia alarmante chegou pela televisão e rádios da França. Allende tinha sido assassinado em Santiago. Um general tomara o poder e já comandava o Chile. Um dia antes do golpe, por entre a fumaça saindo do escapamento das centenas de caminhões chilenos em greve, marionetes com formas aterrorizantes podiam ser vislumbradas. A alternância de gargalhares e gargalhos saindo da boca desses monstros horrendos com cheiro de óleo diesel e arroto de cheeseburger prenunciava o pior. Era a morte, a tortura e o sangue no teatro. Os cordéis tinham sotaque enrolado. Dizia-se que as forças de repressão do Brasil tinham ajudado a derrubar a Unidade Popular chilena. Cheeseburger com feijoada.

Reunião de urgência.

Recapitulou-se tudo. Em janeiro daquele ano, após a divulgação dos acordos de Paris que deveriam pôr fim à guerra do Vietnã, a ASL tinha organizado uma grande reunião na Cité Universitaire. Alternaram-se, na ocasião, aplausos pela vitória dos camponeses e operários vietnamitas na luta contra o imperialismo americano e críticas à atuação do Partido Comunista do Vietnã por ter de alguma maneira aceitado a repartição do país. Agora estavam novamente na Cité Universitaire; o Vietnã e o Chile como matéria de debate. Numa parede do anfiteatro, pregara-se uma faixa com a inscrição *Election piège à con,* do outro lado, sua tradução em português, só que sem rima: *Eleição, arapuca pra babaca.*

Lázaro foi o primeiro inscrito.

— A derrota do imperialismo americano no Vietnã pode ter duas consequências no Brasil, mas é bom lembrar que a guerra lá na Indochina não vai acabar tão cedo. Ou os militares brasileiros vão aumentar a repressão, visando se implantarem ainda mais fortemente em todas as esferas do poder, como centros de pesquisa, universidades, etc., ou vão abrir as pernas. A visita do presidente americano a Pequim no ano passado se insere num vasto processo de integração da burocracia chinesa ao dispositivo contrarrevolucionário mundial; as burocracias da União Soviética e de Cuba engrossam esse conluio. O MIR no Chile serviu mais como um instrumento stalinista, apoiado pelo imperialismo americano, contra as massas camponesas e operárias, do que uma via aberta à revolução. A Unidade Popular fez o jogo, agora tá aí o resultado — quase gritava Lázaro ao microfone.

Todos da plateia pareciam concordar. O Jap de Presidente Prudente foi o segundo inscrito.

— A industrialização dos anos 60 transformou os países da América Latina em linhas de montagem das indústrias dos países imperialistas europeus e dos Estados Unidos. Os economistas da CEPAL estão entre os que propuseram esse tipo de transformação econômica. Aumento das taxas públicas como luz, gás, telefone, correio, gasolina, transportes, e congelamento de salários, é a tabuada das instâncias monetárias internacionais. O desemprego vem a cavalo. Miséria e concentração de renda. Essa é a receita. Se o Brasil é hoje um dos maiores produtores de soja do mundo, a quem aproveita? O controle da produção e exportação de grãos no Brasil é totalmente americano. No México, a concentração de terras vem aumentando e os camponeses empobrecendo; na Argentina, as firmas estrangeiras de exportação vão pouco a pouco mandando totalmente no país — discursou Inaldo com voz pausada.

— A ditadura do proletariado não combina com a proposta stalinista de revolução por etapas; impõe-se a reconstrução da IV Internacional. E as eleições, na forma do sufrágio universal, são um instrumento do poder burguês; Allende sabia muito bem disso — completou um militante da ASL do Maranhão.

Fábio também se inscreveu.

— E não se pode esquecer que é só o cultivo dos produtos agrícolas destinados à exportação que aumenta. A safra agrícola de produtos para consumo interno está em queda livre. A relativa industrialização da América Latina na década passada não deve mascarar a submissão dessas indústrias aos trustes que decidem o que, quando e a quanto deve ser exportado o produto. O Brasil é grande produtor de café e soja, mas a dívida externa não para de crescer, o povo é que vai ter que pagar essa dívida. A fundação da ALN e o sequestro do embaixador americano no Rio foram necessários. Marighela estava certo. E mataram ele em São Paulo.

Fábio falava da plateia gesticulando muito.

— E as burocracias da China, Cuba e União Soviética não permitem que se criem as condições para a crise revolucionária — acrescentou alguém.

Houve mais quinze inscritos. Todos, por um lado, criticavam a Unidade Popular no Chile, mas não conseguiam dissimular o nervosismo e até o choro pela queda de Allende naquele onze de setembro. Em várias intervenções surgiram propostas e recomendações para que se tornassem mais rígidas a disciplina e a hierarquia na ASL. Propostas votadas e aprovadas eram para serem cumpridas. E ponto final!

Fábio e Lázaro saíram juntos da Cité Universitaire. Entraram no metrô. No vagão deixaram fluir as dúvidas.

— Penso, mano, que, no fim, é melhor mesmo a ideia de frentes populares. Fiz aquele discurso porque é o que todos da ASL esperavam, mas no fundo acho que Allende estava certo, estou me sentindo meio apertado na ASL, não sei por quê! Tem gente dizendo que está tendo guerra em Tocantins, o Exército tá descendo a porrada, não sei se é verdade.

Lázaro falava olhando um violonista que, em pé, se equilibrando no encosto dos bancos do metrô, tocava trechos de grandes sucessos de Edith Piaf e cantava caprichando nos erres. Substituía os dois jovens músicos que, minutos antes, cantavam imitando The Mamas and the Papas.

— Eu também, Lázaro, eu também, a gente não avança nada; no Chile, pelo menos, acabaram dando uns passos importantes pra implantação de uma sociedade mais justa — completou Fábio. — Só argumentei *à la* ASL porque não se pode dar trégua ao fascismo e ao capitalismo selvagem. É melhor chocar e ameaçar a burguesia pra depois recuar um pouco e negociar. Apesar de na assembleia só ter simpatizantes, falei por cacoete mesmo. Treino pra falar depois aí fora. Mas assim como as coisas caminham politicamente no Brasil, está difícil. Não sei se os operários e os camponeses brasileiros querem mesmo saber da gente. E me sinto cada vez mais próximo do nosso amigo religioso da Mutualité.

— O padre está certo, Fábio.

O violonista passara a cantar Brassens. Uma senhora, sobraçando uma enorme baguete, depositou, com cuidado, uma moeda na boina estendida pela jovem que acompanhava o músico. Lázaro também contribuiu com um franco, logo imitado por Fábio.

Os dois desceram na estação Luxemburgo. O baiano seguiu pelo Boulevard Saint Michel. Ia a um restaurante brasileiro na rua Mabillon. Getúlio era o novo gerente. Fábio foi em direção ao Café des Etudiants, na rua Gay Lussac, onde o esperava Muriel. Não foi difícil encontrá-la; estava dentro de uma densa nuvem de fumaça de cigarros e no meio de uma onda de cheiro de sanduíche, *croque-monsieur*, quase queimando, saindo do forno atrás do balcão de zinco.

Fábio expôs o seu ceticismo quanto à atuação da ASL. "Eu disse na Cité Universitaire o que os membros da ASL gostam de ouvir, mas tenho cada vez mais dúvidas sobre as nossas estratégias de luta. Alguns partidos têm outras propostas, talvez mais frouxas, mas mais realistas. A classe média tem que estar do nosso lado, senão não adianta. Lázaro concorda comigo", observou Fábio.

— Lázaro sempre tem os pés no chão, replicou Muriel.

Fábio não respondeu.

18

CENTENAS DE BRASILEIROS que tinham se refugiado no Chile corriam para a Europa. Paris era o primeiro porto seguro. Os Andes, os ponchos coloridos e o sol andino invadiram os infinitos corredores e escadarias do metrô da cidade. Grupos musicais chilenos, duplicados por cantores e músicos peruanos, argentinos e bolivianos enfeitavam retinas e afinavam ouvidos de passageiros apressados que se viam, subitamente, transportados para altiplanos sonhados ao som mágico de sopros, cordas e percussões.

A Aliança Socialista Libertadora incorporou por volta de vinte novos companheiros. Dentre eles Sarinha e Alex se destacavam. Tinham se exilado no Chile em 69, e lá ficaram os quatro anos. Chegaram a encontrar, comentava-se, Allende na casa da rua Guarda Vieja. Eram o contato chileno da ASL. Alex pouco falava e Sarinha, onde quer que estivesse, vivia olhando de um lado para o outro, com movimentos rápidos, como se buscasse um inimigo imaginário. Acabou recebendo (sem que ela soubesse) o apelido de Sagui. Alex, se fosse preciso morrer, lhe dava igual. Ambos tinham sido barbaramente torturados no início de 69 na rua Barão de Mesquita, no Rio de Janeiro.

Alex (chamava-se Alexandre) e Sarinha eram sangue novo em Paris. Um pouco mais de seriedade para uma gente que começava a só tomar Ricard, comer *brie*, se entupir de vinho, dançar *rock* como se dança quadrilha e a empregar palavras francesas. Até aí tudo bem. Mas que também afrouxava a tensão ideológica e se deixava embalar por sexo, diversões e futilidades. "Esse cara, o Lázaro, por exemplo, é o protótipo do alienado babaca, não sei o que fez no Brasil, o Fábio deve ser parecido. Se alguém contasse que dois sujeitos como eles são militantes de uma organização de extrema esquerda ninguém acreditaria; só se fossem personagens de um romance", fulminou certa vez Sarinha para o Jap paulista de Presidente Prudente. Inaldo Sako afirmou ter respondido que cada um tinha sua tarefa e sua função. E que o prazer e o direito à diferença, junto com a justiça social, eram há muitos anos o mote da Aliança Socialista Libertadora. Pôr em prática tudo aquilo que reivindicavam como corrente quando ainda pertenciam aos quadros do Partido Trabalhista Unificado. Essas tendências levavam reprimendas homéricas do Comitê Central do Partido. Sarinha e Alex tinham esquecido? A resposta de Sarinha e Alex, relatou Sako, fora curta e grossa. "O Partido Trabalhista Unificado, tem-se que reconhecer, é o que mais sofreu perseguições e torturas na história do Brasil. Foi quem sofreu as maiores baixas. Se tem uma organização que levou só porrada até agora é o PTU. E temos informações de que a ditadura militar vai empreender uma sangrenta operação contra os militantes do PTU no Brasil." Mas Sako também disse a Fábio: "Acho que ela exagera às vezes, Fábio, agora!, quero te dizer francamente que também penso que você e o Lázaro exageram nas futilidades e nessa história a dois com Muriel. Todo mundo vê. Que parece um filme isso lá parece, vocês podiam ter trabalhado em *Teorema*. Sem querer ser didático, acho que vocês deveriam ouvir mais Schubert ou a *Sinfonia heroica* de Beethoven, reler o livro VII da *República*, de Platão. Um pouco de atividade de espírito às vezes ajuda a compreender certas coisas. A imagem da ASL fica prejudicada, vocês acabam fazendo o jogo da direita e a ditadura vai ter argumentos pra espalhar que a esquerda é formada por um bando de irresponsáveis desordeiros, mulherengos, cachaceiros e venais. Porra, Fábio!, a gente tem um projeto responsável e um monte de companheiros, inclusive você, foram torturados, vários mortos, outros desaparecidos. Não disse tudo isso a Sarinha para não envenenar mais as coisas. A energia política de vocês está ficando pelo meio do caminho. Entre a mão e a espiga há o muro do poeta! Ou então estão sendo recuperados, desculpa a sinceridade. Tem que cuidar. Olha o Uruguai, a greve geral do ano passado. A aliança do PCU com as organizações burguesas subordinou a classe operária e campesina à burguesia, se você quer isso, espero que eu seja o primeiro a quem você avise da sua mudança de partido, companheiro!"

Fábio não respondeu, só baixou a cabeça.

19

A CHEGADA DE ALEX E SARINHA alterou profundamente as reuniões da ASL. Foram mais encontros e mais longos. Fábio e Lázaro nem sempre estavam presentes. Sarinha se tornou a liderança, Lázaro cedera-lhe a vez, de qualquer maneira seu trimestre tinha mesmo acabado. Ela dava ordens, fazia, desfazia, sempre com ar de sagui, e Alex com cara de triste, palhaço triste. Os dois puseram ordens em vários aspectos. Horário de chegada nas reuniões, moderação no álcool durante os encontros, disciplina e objetividade nas "falações". Nada de filosofês e psicologuês. Nada de haxixe. Numa dessas assembleias Alex e Sarinha jogaram pesado. O clima da repressão devia se instalar na cabeça dos militantes. Não esquecessem que companheiros estavam sendo presos, torturados e assassinados. Quem não se adequasse mais às regras da ASL devia dizê-lo francamente. Alguns, por exemplo, arrastavam experiências pesadas — como as duas operações de ataque a banco, com mortes — e deviam refletir. Caso desejassem se retirar, todos entenderiam, a pressão psicológica era muito forte. Lázaro e Fábio, é claro, se negaram. Ao contrário, a ASL era a casa deles. Estavam na Aliança Socialista Libertadora para sempre. Entendiam e respeitavam a "colocação" das companheiras: a questão do respeito à mulher passava necessariamente por uma conscientização da própria relação homem-mulher, incluindo aí a relação sexual. A busca incessante do erotismo desvelava uma imensa lacuna política que devia ser preenchida com reflexões teóricas sobre a luta de classes e o futuro dos homens e das mulheres no mundo. E não se haveria de pensar que esse raciocínio tinha traços de stalinismo pois um dos artifícios do capitalismo — ou consequência dele — é a proliferação da prostituição sob todas as suas formas. E a mulher é o objeto de troca.

Sim, concordavam. (Só não dava pra dizer, infelizmente, que a companheira Mariana da UFBa talvez pensasse diferente. Tudo bem, estava desaparecida. Não se brinca com os mortos.)

Não se esquecessem, tampouco, que policiais a cavalo, empunhando sabres, investiram contra estudantes na porta da Candelária no Rio, que tropas do Exército tinham invadido a casa do Bispo de Volta Redonda, se chegaram a esse ponto, o que aconteceria com os companheiros da ASL que caíssem? Pensem mais, ou pelo menos de novo, no coletivo, porra! Pensem que com comportamentos assim a gente acaba fazendo a revolução, mas passando o poder para partido político de outra classe social. Não esqueçamos da revolução boliviana de 52 e a da Guatemala depois. A colaboração de classes entre o imperialismo e a burocracia stalinista do Kremlin reforçou os partidos burgueses (Sarinha se esmerava na argumentação).

A individualização das relações sociais, resultado do pensamento conservador, leva a um egocentrismo fatal. Desse egoísmo decorrerá inevitavelmente uma esquizofrenia e uma frustração pela não realização plena do homem/mulher ser social. Quem abraçar caminhos individuais acabará punido pelos seus pares e roído de culpa por dentro de si próprio. As terras, os bens, a felicidade, o prazer pertencem a todos e têm que ser divididos. O capitalismo vai, pois, contra a natureza humana (Alex ajudava a esposa a completar as frases incompletas).

Fábio e Lázaro concordavam; não deviam entrar nos espaços inexplorados e interditos da verdade individual.

Sim, havia diferenças entre os partidos de esquerda. A Aliança Socialista Libertadora era pelo respeito à diferença, às minorias e pelas opções de prazer de cada um. Mas não era uma zona! A especificidade da mulher tinha que ser respeitada; entrar numa reunião e examiná-las e analisá-las pelo seu lado físico era um desrespeito e um autoritarismo fálico burguês. Assim como deviam ser respeitadas as especificidades dos índios, o direito dos homossexuais etc. Uma sociedade socialista e justa pressupõe o respeito ao outro em todos os seus aspectos (Sarinha e Alex praticamente só olhavam para Fábio e Lázaro).

Os dois amigos concordavam.

A Aliança Socialista Libertadora discorda da política mole e reformista que consiste em lutar por dentro das vísceras do dragão fascista: o regime militar se autorreforma também. Rabo de lagartixa, se cortado, nasce de novo. Dragões são da mesma família. Vários setores da Igreja têm tido posições mais progressistas — com ações no dia a dia nas favelas e no campo — do que os companheiros que optaram pela ocupação dos espaços dentro do sistema. Tem gente que entrou pro movimento por acaso, talvez nem quisesse. Acontece. Se quiserem sair, é normal, podem sair.

Lázaro e Fábio concordaram menos.

— Não tem nenhum filho da puta aqui que teve que matar gente expropriando bancos, lutando pela Aliança Socialista Libertadora. Só eu e o Fábio. E agora o que eu estou ouvindo é um processo sorrateiro de expurgo — afirmou Lázaro com voz firme.

Alex e Sarinha defenderam-se explicando ser um mal-entendido. É que já em Santiago do Chile se falava que os exilados na Europa vinham levando uma vida burguesa com uma prática cotidiana que não se coadunava com a proposta de uma sociedade mais justa. Que não havia disciplina na ASL-Paris. Ordens não eram cumpridas. A organização estava se transformando numa associação de comadres. Os militantes pareciam estar gozando as delícias de Cápua.

Houve naquela célebre assembleia de Paris muita discussão, discordâncias, mágoas, xingamentos e até choro no final, quando eram referidos os companheiros caídos. A reunião ficou conhecida como a Nuremberg da ASL na França. Fábio e Lázaro saíram calados. Mas com o apoio da maioria dos militantes. (Não havia dúvida, porém, que, indiretamente, eram justamente eles os mais criticados. Todos percebiam.)

Os dois foram caminhando pelo cais da Bastilha. A reunião tinha sido numa transversal do Boulevard da Bastilha, perto da Gare de Lyon. "Esses barcos ancorados no canal dão ao local um ar de férias. Me fazem lembrar da enseada de Botafogo", comentou Fábio.

— Acho mesmo que entrei numa fria, com dezoito anos, na Federal de Santa Catarina. Meio sonhador, um mundo melhor, e, pau!, nos braços da ASL. Não sei se era isso que eu queria, explicou Fábio com a voz arrastada.

— E eu na UFBa, mesmo caso, irmão. Não me arrependo de tudo mas acho que em outros partidos teria mais jogo. Lutar por dentro do sistema é mais calmo e talvez mais produtivo — retorquiu Lázaro. — A consciência da gente vem da nossa vida em sociedade, do nosso dia a dia no bar, no motel, na praça; vem das nossas angústias e frustrações. É esse dia a dia em sociedade que faz a gente, Fábio, não o contrário, acrescentou, pedagógico.

— Concordo totalmente, Lázaro, até porque senão nunca existiria transformação de mundo. Uma vez a Anelise foi imperatriz e eu imperador na festa do Divino em Santo Amaro, em Santa Catarina — disse o catarinense em voz baixa.

— O quê, Fábio?

— Nada.

Chegaram à estação do metrô. Começava a chover e a ventar. O vento penetrava pelos poros. A água idem. Sangue branco.

— Vamos entrar na casa do tatuzão, Fábio, respirar o arzinho dessa caverna. Da estação Bastilha pra você é direto. Eu troco na Gare de l'Est. Um abraço na Muriel, ô barriga-verde.

Fábio respondeu com um aceno de mão.

O seu metrô demorou a chegar. Um bêbado deitado num banco da plataforma da estação não parava de resmungar. Segurava uma garrafa de vinho. Falava, ou pelo menos ensaiava falar, com um companheiro de bebida que também resmungava sentado num banco, na plataforma em frente, do outro lado dos trilhos. Fábio tentou contar as centenas de tíquetes de metrô que salpicavam de amarelo o cimento entre os dormentes da linha férrea. Desistiu da numerologia e pôs-se a andar de um lado para o outro na plataforma como uma fera enjaulada.

Glorinha trouxe a passagem Rio/Buenos Aires, de ônibus, no prospecto aparecia uma mulher cortada ao meio, na vertical, metade usando biquíni, a outra vestida com um grande sobretudo de lã, era assim eu que via as pessoas, duas ao mesmo tempo, eu dois, Glorinha duas, naquela junção das duas metades é que a gente é mais a gente, tem que escolher pra que lado vai, o meu torturador também devia ser dividido em dois, ele tinha que ter remorsos, o filho da puta, um dia ele ia pagar por tudo; rodoviária Novo Rio, o ônibus direto, só parava pras refeições, argentinos e brasileiros, todos ali eram rachados ao meio.

Agora Muriel deve estar em casa na banheira me esperando. Esperando o afeto aspirado, engolido; um querer de lábios ávidos ansiosos por entranhas líquidas brotadas de poros entumescidos por cortes e carnes lambuzadas de prazer.

O barulho das rodas do metrô nos trilhos interrompeu o pensamento de Fábio.

20

POR CONTA DO CLIMA DE PERIGO, as reuniões da ASL foram distribuídas em dois tipos. Uma com a militância restrita, para análise das ações, e outra de estudos, mais aberta. Muriel participava dessas últimas. Sempre usava, nessas ocasiões, calças Lee. Sarinha, com toda evidência, não lhe tinha o menor respeito; e, pior, a considerava um elemento nefasto. Mas era a mulher de um companheiro. Aqueles olhos reluzentes, coloridos, um leve sorriso permanentemente colado na boca, provavelmente a irritavam.

Num domingo à tarde, no dia do festival de música brasileira (durante todo o fim de semana estava acontecendo um festival de música brasileira no Olympia), houve uma reunião de estudos da Aliança Socialista Libertadora. Muriel, que vinha do Olympia, apareceu, deliciosa, de minissaia vermelha e com uma blusa branca de seda transparente. Sentou onde pôde; no início num banquinho de trinta centímetros de altura! A reunião era na casa do Alvinho, outro simpatizante da ASL, já francamente instalado na França, casado com uma francesa e professor de Português num colégio no subúrbio de Paris. As pernas de Muriel, terminadas no fundo por um triângulo branco com desenhos de moranguinhos, monopolizavam os olhares de todos, inclusive os de Sarinha. Sabe-se lá Deus o que Melusina tinha naquele dia.

Numa ida à apertada cozinha em busca de cerveja, Muriel, que antes havia lançado um longo olhar convidativo ao ex-amante, tentava abrir a gaveta de baixo da geladeira quando sentiu Lázaro prontificando-se a ajudá-la. Melusina se viu envolta, por trás, pelos braços do ex-companheiro. Mantiveram-se em pé, o tronco meio abaixado, o peito de Lázaro encostando no alto das costas dela.

Muriel segurou com firmeza a gaveta. A extremidade dos cabelos da Iracema gaulesa tocava as cervejas geladas e molhadas. Lázaro, abrigado pela porta aberta da geladeira, apertou a ex-amante por trás e sua mão direita insinuou-se pela seda macia; a esquerda penetrou, lentamente, pelo lado do avesso dos moranguinhos, no triângulo branco desfeito. Estreitou a ex-companheira com mais força. Os risos e os gritos — "e o chope gelado *à la* carioca, não vem?" — abafaram os cicios de Muriel.

Levaram as cervejas para a sala. Ele instalou-se no chão. Ela encostou-se na porta de entrada do apartamento ouvindo as intermináveis intervenções políticas e culturais, o cigarro na mão. Quando a cinza estava prestes a cair, vinha regularmente até o centro da sala onde, no assoalho, estava o cinzeiro. Curvava-se vagarosamente e batia em câmara lenta no cigarro. Os que estavam sentados no chão, ao lado, tinham uma vista deslumbrante de três quartos do corpo de Muriel, ângulo Sul-Norte. Quando encontrava um lugar no sofá, os seios perfeitos se ofereciam a todos os presentes no momento em que ela se inclinava para apagar o cigarro no cinzeiro do assoalho. Militante de esquerda em reunião de partido tem uma quase obrigação oficial de ser meio assexuado. Pelo menos da boca pra fora. Mas ninguém contava com Sarinha que, subitamente, deu um grito esganiçado.

— Puxa daqui pra fora, sua vagabunda!

Foi um tumulto medonho. Alex concordou, Sarinha pôs-se a chorar, as duas mãos escondendo o rosto, todos se levantaram.

— É verdade, Fábio, ela desrespeitou a reunião — disse Alex.

— Eu sei Alex, você tem razão — respondeu Fábio com voz baixa.

— Eu não sei o que se passa, acho um absurdo, uma vergonha; tem gente que ainda vive na idade da pedra, gente atrasada — atalhou Muriel com cara de espantada.

— Mas você também foi longe demais, Muriel — ponderou Fábio.

Uns diziam que sim, outros que não. Mas o mais inflamado mesmo foi Lázaro.

— Ela não fez porra nenhuma, Sarinha é complexada porque é feia e mal-amada. A gente não tem nada com isso. Vamos embora dessa merda, Melusina.

Lázaro agarrou-a pelo braço e saíram batendo a porta. Os olhos coloridos de Muriel fincaram-se antes nos de Fábio. Ele ainda tentou ir atrás dos dois mas estancou, entre petrificado e extenuado, no meio da sala. A reunião da ASL do domingo de festival de música brasileira no Olympia — que ficou conhecida, por alguns militantes, como a reunião das calcinhas da Muriel — foi suspensa por falta de clima emocional.

Fábio voltou para casa completamente tonto. Muriel não estava. "Ela está na casa do Lázaro!", vaticinou.

Quando Glorinha me levou para a rodoviária, passamos pela Lagoa e entramos no túnel Rebouças, enorme, aquelas luzes correndo, o barulho de carros, eu estava no banco de trás, via no retrovisor a voragem do afeto e do carinho dos olhos negros e doces de Glorinha olhando pra mim, me joguei no chão, Glorinha só dizia calma, calma, botei as mãos nos ouvidos, ouvia gritos, fala ô comuna, dá uma porrada nele ô Jô, arranca os bagos desse filho da puta, enfia a luz na cara dele, calma, Fábio, a gente vai chegar, veio a luz do dia de repente, aliviou um pouquinho, estou salvo, vi o verde, árvores, um pedaço de céu, acho que até Deus, fiz o sinal da cruz, logo o túnel de novo, eterno, nunca ia acabar, nunca, Glorinha dirigia com a mão esquerda, com a direita passava a mão na minha cabeça, no meu rosto, eu estirado no chão, atrás, veio a claridade, Glorinha segurou o volante com as duas mãos, ficaram o perfume e o carinho no meu rosto.

Fábio armou-se de uma faca de cozinha — a que Muriel mais usava — e rumou de táxi para o 18ème, ao pé de Montmartre, onde Lázaro morava. Subiu sofregamente os sete andares. Bateu repetidas vezes na porta. Não estavam! Desceu as escadas, entrou no café L'espoir de l'homme, que ficava quase em frente. Também não estavam. Subiu as ruelas de Montmartre. Sêmitas escarpadas levando à cova da verdade. "Podem estar se comendo num hotelzinho barato mais lá pra Pigalle. Vou acabar dando de cara com os dois." Na Praça do Tertres propuseram-lhe um retrato a carvão ou grafite. Recusou rispidamente. Com que cara sairia? Nada dos dois amantes! Dezenas de esfinges se deixavam copiar por artistas irresolutos. Muriel tinha que estar por ali! Debalde. Talvez estivessem no apartamento de Lázaro e não quiseram abrir a porta. Enrodilharam-se, à sorrelfa, sob os lençóis, os covardes!

Fábio voltou ao L'espoir de l'homme. Pediu uma garrafa de vinho tinto (Bourgogne, são mais aveludados, sempre dizia). Uma hora depois Muriel e Lázaro entraram no mesmo café e se dirigiram a ele. Não deu para saber se tinham saído do prédio de Lázaro.

— A gente imaginou que você só podia estar aqui — entoou Muriel. — Te procuramos em mil lugares.

Fábio não respondeu.

— Escuta, mano, a Sarinha endoidou. A gente tinha que sair de lá, você devia ter vindo junto — completou o baiano.

Fábio mudo.

Os dois sentaram-se à mesa. Muriel em frente a Fábio. Lázaro na cadeira ao lado. Fábio só ouvia os dois conversarem desordenadamente e não conseguia distinguir o fim de uma palavra e o início da outra. Por debaixo da mesa tirou do bolso interno do sobretudo que estava na outra cadeira a faca de rosbife de Muriel. Encostou com firmeza a ponta da lâmina no baixo ventre do companheiro traidor.

— Que é isso Fábio, você está louco? Vai todo mundo preso! É isso que você quer? — exclamou Lázaro.

— Fábio, por favor — suplicou Muriel, segurando com energia o braço do companheiro.

O baiano, não acreditando que o amigo o machucasse, levantou-se rapidamente e saiu. Fábio guardou a faca, agarrou Muriel com violência pelo braço, pagou a conta e entraram num táxi. No banco ao lado do motorista dormia um enorme cachorro, tipo pastor alemão. Numa freada no sinal, o cão virou-se e pôs o focinho sobre o banco, os olhos fixos nos dois passageiros. Fábio sentiu-se julgado pelo animal. O motorista apenas disse: "Ele não morde, só não pode fazer movimento brusco." Tocaram para a Place d'Italie. O táxi estacionou na porta do edifício. Os dois amantes entraram no elevador. Parada no sexto andar. Entrou uma mulher com uma tatuagem azul desbotada na testa. Segurava uma criança pela mão, com quem falava em árabe. Reclamou (pela feição contrariada) que o elevador estava subindo. Oitavo andar. Os dois saíram sem se despedir da senhora que, aparentemente, nem os notara. Sempre com alguma violência e mudo, Fábio foi empurrando a companheira até o apartamento. Muriel quieta, mais lívida do que nunca. Entraram em casa. Ele continuava em silêncio e fitava a companheira. São baldados os esforços de persuasão em ser pouco afeito à dissertação acerca da alma. Abriu a torneira da banheira, espalhou o conteúdo de um pote inteiro de sais de banho na água e ordenou que Muriel entrasse. Ela, maquinalmente, um sorriso começava a lhe emoldurar o rosto, tirou a roupa e entrou na água morna.

— Assim não, fica como você sempre deita, virada, de costas para mim.

Muriel obedeceu. A cauda imaginária parecia que tinha aumentado de tamanho. Era um rabo de bichão grande! Fábio deixou-a nessa posição e foi até o quarto. Abriu a bolsa encardida e segurou a caixa que levava sempre consigo. Abriu-a cuidadosamente. A safira postal do mar e do céu catarinenses riscou o ar e desapareceu por trás da tampa da caixa. Fábio segurou o amuleto de madeira com habilidade, cuidando para que a parte que tinha uma pequena lasca ficasse para a frente, como o cano de um revólver. Muriel Melusina continuava de bruços, sempre meneando lentamente o rabo imaginário. Os cabelos negros roçavam a linha d'água e a espuma parecia cobrir-lhes de neve as extremidades. Não levantava os olhos de um mundo que só ela enxergava. Fábio ajoelhou-se ao lado da banheira e, brutalmente, sem emitir um único som, enfiou o pedaço de madeira onde fincava raízes a cauda maldita! Aquela mulher, agora um monstro de pecado, urrou de dor, levantou de um salto, e bateu furiosamente com a mão fechada no rosto do seu torturador. O sangue espirrou do nariz de Fábio que, manifestamente, não esperava reação alguma, tal a sua surpresa. A neve da banheira virou uma mancha púrpura. Muriel saiu aos gritos do banheiro — uma estria rubi enleava a sua coxa esquerda —, enxugou-se rapidamente, vestiu um sobretudo, chorando, gemendo de dor, e partiu berrando *salaud, salaud, assassin*.

A luz refletia no espelho do armarinho do banheiro. As praias da ilha de sua infância, a ajuda do pai ao amigo canoeiro, o garapuvu se aplaniciando sob o impacto do enxó; a festa algum tempo depois, a tainha recheada, o pirão de peixe, o camarão no bafo, a cachaça, a canoa pronta, o pai supreendentemente ébrio, deitado dentro dos vinte palmos da embarcação, rindo, o pânico da morte — "pai, sai daí de dentro, pai, vamos, a mãe está esperando!" Fábio desviou os olhos da luz refletida no espelho.

Sempre em silêncio, deitou no chão do banheiro. O cotovelo manchado de vermelho jazia ao seu lado. Os ladrilhos estavam frios e molhados. Gotas de sangue indicavam, como o rastro de uma corça ferida, a direção tomada por Muriel Melusina. A campainha tocou desvairadamente. Fábio levantou-se.

— Meu Deus, ela voltou, que São Judas Tadeu me ajude, Muriel, desculpa!

Abriu a porta freneticamente.

— É você, Lázaro?

— O quê que está havendo, Fábio? Fica calmo!

— Nada, acho que a Muriel foi pro hospital.

— Por quê?

— Está machucada.

— Foi agora, Fábio? Será que dá tempo pra ir atrás dela?
— Não, não dá, Lázaro, entra.

Lázaro entrou e sentou no sofá. Levou as duas mãos ao rosto à guisa de máscara. Foi quando Fábio apareceu com uma faca, não era bem uma faca, era quase um dolo.

— Não tenha medo, Lázaro, não vou te machucar! Quero só olhar pra esse punhal e imaginar como é se matar!

— Pelo amor de Deus, Fábio, para, toma juízo, irmão, larga esse troço.

— Irmão porra nenhuma, olha a diferença de cor!

— Fábio, pensa um pouco!

Não se sabe se foi com intenção ou não; Lázaro espalmou a mão direita e Fábio, meio mecanicamente, em movimentos descoordenados, feriu aquela mão ossuda com a ponta afiada da faca. Os dois se olharam impotentes. Fizeram, em um segundo, o percurso completo. Da raiva ao ódio, do ódio ao ataque, deste à defesa, da defesa à condescendência, desta ao choro. Fábio, convulso, foi buscar iodo, esparadrapo, gaze. Chorava. Lázaro segurava o pulso direito com a mão esquerda e só dizia, "tudo bem, Fábio, tudo bem, não é nada". Pegaram o elevador pálidos, entraram num táxi. A mão de Lázaro enfaixada. Direção hospital Pitié Salpêtrière, urgências. Nenhum tendão atingido, a faca era fina, o corte superficial. "Eu disse que não era nada, mano, fica frio" — murmurou o ferido.

Do hospital, quietos, seguiram para a casa de Lázaro de metrô. Mantiveram-se em silêncio durante quase todo o trajeto. Apenas Fábio, volta e meia, pedia desculpas monossilábicas. Raiva e incompreensão entre exilados passam logo, medravam essas no asfalto, granito e ferros de Paris, teriam, com certeza, raízes pouco profundas.

Controle de documentos pela polícia nos corredores do metrô. O baiano foi abordado, mostrou o passaporte, tudo em ordem. / Estou de passagem por Paris, amanhã vou pra Suécia, explicou calmamente ao policial. / *Et la main?* / A mão eu queimei numa *fondue savoyarde,* o óleo pegou fogo./ Fábio não foi importunado.

Chegaram ao prédio de Lázaro. Subiram os sete andares em silêncio, a respiração pesada. Uma sopa de pacote, feita no fogareiro, acalmou-lhes o estômago.

— Te disse que ela era tipo vagina dentada, Fábio, onde ela vai destrói.

— Onde será que ela anda agora, Lázaro?

— Deixa ela pra lá, irmão, ela se vira. Sempre se virou. Mas tenta te controlar, Fábio. Você uma vez já empurrou com muita força a Ana Letícia; ela me disse que ficou manca um mês, no tombo quase quebrou a tíbia. E cortou o supercílio, foi grave.

— A Ana Letícia não tem a menor importância. E me desculpa por tudo, Lázaro, por favor!

— Eu sei, Fábio, eu sei. Mas te convence que não somos assassinos, foi uma fatalidade e em nome de uma causa. Pensa que nós não estamos sozinhos na luta política por um Brasil mais justo, é isso que importa.

21

DEZ DIAS DEPOIS MURIEL deu notícias por telefone. Ia passar com Jacqueline e dois amigos da Sylvie para reaver suas roupas, livros, discos e objetos pessoais, como especificou friamente. Passou no dia e hora marcados. Estava vestida elegantemente, maquiada, os cabelos cuidadosamente penteados, mais curtos, usava um tailleur azul-marinho com blusa branca, sapato alto, o tipo que chamava BCBG, *bon chic bon genre,* gênero para o que ela, pelo menos até há pouco tempo, parecia não ligar; mais que isso!, do qual ela parecia até caçoar! Os olhos da Iracema gaulesa estavam frios, meio foscos. Não se fixavam em nada. Tinha-se a impressão de que a luminosidade azul-esverdeada da íris dos olhos de Muriel resplandecia quando suas pupilas roubavam o colorido e a energia dos olhos alheios.

Fábio permaneceu sentado à mesa de jantar, mudo. Até tentou conversar com a ex-companheira mas não saiu nada da sua garganta. Contava telefonar-lhe no dia seguinte. Os cinco quase não disseram palavra. Quatro malas, uma mochila, um caixote com talheres e pequenos objetos de decoração. Um outro caixote de papelão com coisas variadas. Só. Muriel apenas lhe disse ter desfeito o contrato do apartamento, que havia sido alugado mobiliado. O telefone ia ser cortado. Ela ainda deixou sobre a mesa os dois ingressos para o concerto de Vivaldi, com a Filarmônica de Viena, na sala Pleyel, que haviam comprado com um mês de antecedência. A porta de entrada foi fechada devagar. Nem um adeus. De nenhuma das partes. Fábio queria abraçá-la. O ruído dos passos no corredor. A porta do elevador se fechando. Já dava para chorar alto.

Você não pode estar indo embora de verdade, me lembro no ônibus pra Buenos Aires, as pessoas rachadas ao meio, de biquíni com sobretudo, não pode nunca acabar, você me salvou da rua da Relação, me libertou da delegacia do Estácio, me guiou pelas ruas do Rio de Janeiro, eu quase morto, mostrou o meu outro lado, porra, não pode terminar assim, Muriel, não pode!

Me vi quase obrigada, Fabinho, a entrar na Associação das Rendeiras da Ilha de Santa Catarina, não gosto disso, na Associação tem brigas, prefiro fazer a minha rendinha, eu mesma, só pra nós mesmos e pra familiada, vou fazer uma toalha, renda margarida, pra tua chegada um dia, a tua mulher vai gostar, o pai está com dor nas costas, passou o domingo inteiro no machado ajudando o tio Amâncio a falquejar um garapuvu, o Zequinha não quer mais que a gente diga ó-lhó-lhó, não sei, disse que é cafona, o telefone que o Altair comprou pra nós só chegou agora, deve ter vindo dentro da seve de um carro de boi, não esquece do aniversário do Altair, o do Zequinha só eu lembrei, fiz canjica, gelatina, bolinho de banana e orelha de gato, não deixa de escrever, Fabinho, não esquece. Não mãe, não vou esquecer.

22

QUATRO OU CINCO DIAS depois das duas mais autofágicas reuniões da Aliança Socialista Libertadora em Paris, o comando da ASL foi convocado. Na pauta uma proposta de extrema gravidade. O mundo não tinha parado! A revolução estava em marcha! Os dois episódios — Nuremberg e calcinhas da Muriel Melusina — já eram andaimaria e entulho da história. A importância dos fins e a primazia do coletivo neutralizavam qualquer desvio individual. Só notícia braba vinha do país do carnaval. Falava-se de guerra de guerrilha na região de Marabá. Para o Jap não era o país do carnaval, era a ilha dos Amores deflorada. Tinham que juntar forças, todos os militantes eram indispensáveis. Nas intervenções durante a reunião estavam implícitas desculpas. Sarinha abraçou Lázaro e Fábio (é claro que alguns devem ter pensado que era abraço de tamanduá). Novos planos de ação se impunham. Chegaram ordens do comando da ASL, em

São Paulo: volta clandestina ao Brasil para obtenção de fundos. Fábio e Lázaro viajariam. Eram os únicos que tinham experiência de expropriação bancária. Fábio comandaria.

Lázaro foi o primeiro a argumentar.

— Não é assim, não! Vai e pronto! Eu não sei se estou preparado pra ir, se quero ir e se concordo realmente com esses métodos. E assaltar banco lá no Brasil, por quê? Por que lá?

Fábio completou.

— Me pergunto se essa é a melhor estratégia de luta. Fica um bando desligado da sociedade, pegando em armas e achando que vai transformar o mundo. Concordo com o Lázaro. A organização tem que respeitar a opção de vida das pessoas, as relações pessoais que vão sendo criadas, o preparo psicológico para as ações.

Fábio discursou visivelmente irritado e batendo com o punho na mesa.

O catarinense estava indignado. Arrancá-lo de Paris, assim, como um bárbaro fanático arrancaria do peito do inimigo exangue com a ponta da adaga o coração pulsando e lhe beberia o leite púrpuro ejaculado de vasos seccionados, assim, como um bicho, se deixar imolar em nome de uma estratégia de luta que necessitava maior reflexão e que detonava reações contrárias do povo, ele, justamente ele, que deveria ser o maior beneficiado? Não, porra, assalto a banco não! Chega!

Após curto silêncio, Fábio retomou a palavra.

— Primeiro queria concordar com Lázaro. Por que o assalto é no Brasil? Não entendi! Segundo: todos nós aqui sabemos que a guerrilha é um empecilho à tomada do poder pelas massas operárias, é uma luta da pequena burguesia.

Inaldo se opôs.

— No caso não é guerrilha, é uma ação isolada indispensável, não uma estratégia política de tomada do poder, só não vê quem não quer. A ASL, ficando mais forte e libertando os companheiros presos no Brasil, vai poder mostrar ao mundo que a Unidade Popular chilena, se tivesse sido feita pelos operários e camponeses, não teria esse final dramático. Agora, concordo que, ainda que a aliança burguesa PC-PS seja, bem lá no fundo, abençoada pelas burocracias stalinistas e pelo imperialismo americano — pelo menos até uma parte do caminho trilhado por aquela aliança —, a verdade é que a situação piorou para o nosso movimento.

Sarinha interveio.

— A nossa atividade em Santiago, apesar do que muitos dizem, se restringia a contatos discretos e práticos com a Unidade Popular chilena; mas nunca concordamos com ela. Para os exilados brasileiros da ASL no Chile era um mal necessário. E a razão de o assalto ser no Brasil explico eu. É que, simplesmente, lá haverá a cumplicidade de funcionários do banco, simpatizantes nossos. Apenas isso! E nem falo das condições de segurança na Europa. É claro que aqui é mais difícil e não temos estrutura pra isso. Além do mais, gente treinada vai dar apoio aos nossos companheiros. Mas esse ponto ainda não pode ser explicitado. Os detalhes serão passados pela ASL no Rio. E grande parte do dinheiro expropriado será usada para ações dentro do Brasil mesmo. Mas quero também aqui deixar bem clara uma coisa: se isso fosse na ASL-Brasil não haveria essa discussão toda. As ordens são para ser cumpridas e pronto. Há uma indisciplina muito grande na ASL-Paris. Às vezes parece uma zona.

Um militante de Recife, da direção da ASL-França, também se pronunciou.

— Como por encanto, frentes populares sempre surgem no momento em que há possibilidade da confirmação de uma verdadeira revolução proletária. No ano passado o Partido Comunista Francês defendeu um programa comum com socialistas para implantar o socialismo; ora, o que está sendo proposto é uma colaboração de classe com a grande burguesia. A ASL é e deve continuar a ser diferente; mas a operação no Rio se impõe e os companheiros Lázaro e Fábio devem compreender.

Lázaro voltou a falar.

— Não conheço nenhuma organização de esquerda aqui da França que nos daria força e apoio para assalto a banco, nenhuma; ao contrário, me parece que a proposta deles justamente não é essa. A luta armada faz bem pra nossa consciência, isso sim, a gente tem a sensação de ir pro céu. Acaba sendo um sentimento apenas cristão.

Dessa vez a militância discordava dos dois. Sako se propôs a integrar a operação, um outro, de Porto Alegre, também. Ou se jogava tudo pros ares e se reconhecia que um Brasil socialista era algo negativo, ou se agia segundo a proposta ideológica da ASL. Se não houvesse firmeza ideológica, interveio Alex, era melhor mesmo não pôr em ação a proposta de expropriação bancária. Se Fábio e Lázaro não se sentem preparados ou não concordam com os métodos devem dizê-lo claramente! Voltou-se a falar de consciência revolucionária e da indisciplina de alguns militantes. Alguém tocou nas informações vindas do norte de Goiás. Um morador das margens do Araguaia tinha passado notícias por radioamador.

No dia seguinte foi convocada outra reunião para prosseguir o debate. O tom foi o mesmo. As divergências idem. Só Fábio e Lázaro discordavam, todos apoiavam a proposta vinda da ASL central, em São Paulo. Quase três horas de discussão tensa. Ainda nada decidido. No dia seguinte outro encontro. Mesmos argumentos, mesmas pessoas, mesmas opiniões. Só os dois reagindo. Pássaros canoros trinando para o silêncio surdo de um auditório lotado ouvindo os acordes de uma sinfonia ausente.

No final Lázaro e Fábio já iam amolecendo. A oportunidade de rever o Brasil seduzia, quem sabe até voltar a viver lá clandestinamente. Não se tratava de uma questão de firmeza, eram dúvidas, apenas dúvidas, mas se todos concordavam! A votação final foi de sete votos a favor e duas abstenções.

Não tinha jeito. Agora que se tocasse para a frente! Mas seria a última vez, depois Fábio voltaria para Muriel e Lázaro para quem quisesse!

Nova reunião.

Era dia 22 de outubro de 1973. Sarinha e Alex já tinham tudo redigido, cada um dos militantes recebeu um envelope com as instruções. Ler e rasgar imediatamente. No dia seguinte, dia 23, deviam voltar para nova assembleia com as informações já amadurecidas e com eventuais propostas de modificação dos planos. Aquele encontro foi o mais silencioso de todos. No final da reunião do dia 22, Fábio e Lázaro foram para um café na rua de Rennes, perto de onde moravam Sarinha e Alex.

— Pô, mas logo a gente, Lázaro! Nós que, pelo visto, somos considerados pouco sérios e meio dissidentes! Eu tenho que reconhecer que a minha vida afetiva está uma merda. Nesse aspecto não tenho nada a perder. Voltar de corpo e alma pra ASL, e no Brasil, talvez até me faça bem. Mas se a gente não quiser a gente não vai, a ASL não é a Gestapo.

— Pois é, mas somos os únicos que fizeram coisas e não ficam só de blá-blá-blá. Eu até me sinto feliz porque estou louco pra ver o Brasil. Minha Bahia. Lá nasci, lá cresci e, se Deus quiser, lá vou morrer. Mas quero ver o meu estado mais justo, com menos fome, com menos miséria, com dignidade pra todos os baianos. Um Brasil todo melhor, porra. Acho que a gente deve ir, sim.

Tomaram um café em silêncio. Fábio propôs uma aguardente de maçã. Dois *calvados!*, por favor, pediu Lázaro ao garçom, num francês com pouco sotaque. Beberam de uma só tragada. Saíram também em silêncio e caminharam até uma grande livraria na própria rua de Rennes. Foram meio automaticamente até a seção de turismo. Lázaro não teve dificuldades para encontrar um livro com esplêndidas fotos da Bahia.

Fábio folheou, meio descuidadamente, um exemplar de *O sul brasileiro*, de um autor inglês desconhecido. Deteve-se no capítulo "O litoral, sua terra, sua gente". As fotos eram magníficas. A cidade de Laguna transbordava das páginas, o amarelo do Mercado Público de Florianópolis imergia do azul-celeste; do mar de Porto Belo provinham gritos de baleias; as ruelas do século XVII de São Francisco do Sul ao alcance das mãos! Um desenho de Ana de Jesus lutando no convés do Rio Pardo ao lado de Garibaldi, com o título República Juliana escrito em verde, amarelo e branco, abria o texto. A ponte de ferro do centro de Blumenau e a ponte Hercílio Luz de Florianópolis vinham exibidas em página inteira.

Só saíram da livraria às dez horas da noite. Caminhariam até a estação de metrô Port Royal. Decidiram entrar em um restaurante em frente ao *La Coupole*. Pediram *cassoulet,* o feijão branco com linguiça e lombo de porco salgado já lembravam um pouco o Brasil, tomaram cerveja. Fizeram reflexões sobre a vida, o medo de morrer, reavaliaram a causa política, os riscos da operação no Rio de Janeiro.

— Se a gente morrer tem a ressurreição do boi, Lázaro. O boi morreu, o doutor pode curar. *Ó lindo boi de mamão / Faz favor de levantar / O doutor te deu vida / Já podes de novo dançar /* É do boi de mamão, de Santa Catarina. Minha mãe cantava. A gente pode se transformar em boi e viver pra sempre.

— Ou então, Fábio, depois da morte, a gente pode viver pelas juras. Existe uma expressão usada na Inglaterra até o século XV que dizia "pelos ossos de Deus", está no livro do Chaucer. Falaram outro dia sobre isso no IEDES. Talvez jurem pelos nossos ossos.

— Daí não tem interesse — objetou Fábio.

— Ou então a gente projeta um homem num animal e devora os dois. Fica com a força de ambos e ainda come as mulheres do homem, como no totemismo. E se vive para sempre — rematou Lázaro.

— Assim como você come a Muriel, Lázaro?

— Pô, Fábio. Não tem clima; falar disso agora!

Fábio recompôs-se, passou a mão no cabelo, limpou a boca com as costas da mão, engoliu meio copo de cerveja.

— Estava brincando, companheiro. Desculpa. A gente vai voltar pro Brasil, todo aquele perigo, a emoção, estou meio tonto. Desculpa. Aliás, você não sabe onde posso encontrar Muriel, Lázaro? Na casa da Sylvie ela não está, na da Annie e da Jacqueline também não, já procurei na cinemateca do Palais de Chaillot, no 14 Juillet, na livraria maoísta do Boulevard Sebastopol, no bar da mesquita, nos cafés que ela frequentava, nada!, no bandejão da rua Mabillon, no do Boulevard Saint Michel, nada. Na faculdade, em Censier, ela não vai mais, no Instituto de Estudos Portugueses e Brasileiros da Sorbonne disseram que já acabou os créditos, está escrevendo a dissertação de mestrado, não precisa ir lá, o orientador disse que não a vê há muito tempo. Não sei mais onde procurar. No escritório onde ela às vezes trabalhava ninguém sabe de nada, na casa onde era *baby sitter*, nada! Você tem o telefone daquele argentino, o Héctor, ou da prima dela? Fábio estava visivelmente ansioso.

— A prima está morando em Marselha, o telefone do Héctor tenho aqui na minha agenda. Acho que a Muriel tanto pode ter voltado pra Saint Bonnet de Salers, sua aldeia na Auvergne, ou Clermont Ferrand, ou ter ido para Aurillac, como a gente pode topar com ela qualquer dia aí pelas ruas de Paris. Ninguém conhece ela direito, Fábio.

Lázaro ditou o número de telefone do argentino, que o amigo catarinense escreveu, tremendo, num guardanapo de papel do restaurante.

Pagaram a conta em silêncio. Caminharam, ainda em silêncio, até a estação de metrô Montparnasse, era mais perto que Port Royal e já passava da meia-noite. No dia seguinte ainda havia outra assembleia da diretoria da ASL para os últimos detalhes. Conversaram, em pé, por quase meia hora, na entrada da estação.

— Ainda dá tempo de a gente abandonar tudo, Fábio, amanhã dizemos que a nossa cota pra essa porra de ASL já foi dada; que não vamos assaltar banco coisa nenhuma!

— Às vezes também acho que devíamos viver a vida, eles todos que vão à merda — retorquiu Fábio, olhando para os letreiros luminosos de Montparnasse.

— A única coisa é que eu gostaria de rever o Brasil, até de viver lá clandestinamente. É o único fato que ainda me prende à ideia do assalto, só esse — declarou Lázaro.

— E eu, às vezes, me pergunto o que me prende aqui. Muriel nem conversou comigo quando voltou pra pegar as suas coisas.

Lázaro olhou para a torre Montparnasse, para as prateleiras com frutos do mar expostos diante de um restaurante, para a pequena construção de madeira, de cor amarela, onde se vendiam jornais durante o dia, para um tacho avermelhado usado para confeitar amendoim, no mesmo local onde, no inverno, se assavam castanhas, e apenas respondeu:

— Bem, a gente se vê, Catarina.

Fábio acordou no meio daquela noite encharcado de suor. "Mas por quê, meu Deus? Por que fiz isso? Pra que machucar ela?" Sabia que as palavras não conseguiam dar conta do seu roteiro afetivo. "Então é porque o seu roteiro, como você diz, não é claro. Faz como os nossos trovadores da Idade Média, eles eram claros, só empregavam o discurso obscuro se quisessem, propositalmente; a gente aqui aprende isso no colégio", costumava ensinar Muriel, rememorando as aulas do liceu Rabelais, em Aurillac, perto do seu vilarejo natal, onde estudara. "Mas é justamente no oco entre esses dois discursos que me encontro pela primeira vez na vida, Muriel. Se você estivesse aqui me ouvindo! É a primeira vez que amo assim, mais do que sempre amei a causa da justiça social. Onde está a merda da realidade? Onde está você? Em qual furo vocês se escondem?" Os cabelos dourados de Elke esticados como uma passadeira nos paralelepípedos da Anita Garibaldi se estendiam à sua frente. Lembrou-se da festa da tainha em Santo Antônio de Lisboa com a educadora idealista de Jaraguá do Sul, as barracas armadas no despraiado em frente às casas de madeira, perto do mar — "Quer tainha, moça? Recheada, escaladinha, ova frita, quer? E tu, moço, também queres?" —, a noite caindo, as luzes embaciadas e tremeluzentes do centro de Florianópolis do outro lado do mar transformado então numa manta negra, o beijo incentivado pela caipirinha alaranjada de limão da terra, um ventinho frio temperando com maresia os peixes nas grelhas e nas frigideiras. Mataram ela, porra, mataram a Elke.

Levantou-se da cama, abriu a bolsa de couro e retirou a caixa. O mar e o céu de Florianópolis, desvirginados pelo carimbo dos correios, os olhos de Muriel! Fábio abriu a tampa. Segurou com cuidado aquele pedaço de santo e, chorando, colocou-o sobre o travesseiro. Deitou-se ao lado, os olhos inchados. Pensou em rezar. Fez o sinal da cruz. Se os companheiros da ASL me vissem! Sako decerto ia dizer que sou do século VII antes de Cristo. Lutou contra tudo e todos até a primeira réstia da luz do dia entrar pelos lados da cortina. Embarcaria para o Brasil dentro de pouco tempo. Por que não desistir da operação no Rio? A ASL que se dane! Discou o número do escritor argentino, *Muriel? no, no, hace tiempo que no la veo.*

23

Sarinha também coordenava a última reunião, a do dia 25. Começaram conversando desordenadamente sobre a história do Brasil e os movimentos sociais. Sako explicava que Contestado, Palmares e Canudos foram os três mais importantes levantes populares de toda a história do país. As reuniões se iniciavam sempre assim, como aquecimento em jogo de futebol. Lázaro distribuiu seis ingressos para a Ópera de Paris, oferecidos pela instituição dos refugiados. Ele já assistira ao espetáculo no domingo anterior com a amiga médica. O Royal Ballet de Londres apresentava *Les Demoiselles de la nuit;* uma jovem tcheca fazia o papel de Agathe, que fora de Margot Fonteyn no final dos anos 40 (Lázaro, meio provocadoramente, insistia em chamá-la Margot Fontes, nome da mãe brasileira da célebre bailarina inglesa). Cerca de meia hora depois entraram na pauta.

O plano era simples. Lázaro não estava fichado na Polícia Federal no Brasil. Saíra do país com seu passaporte, normalmente. Entraria no Brasil com facilidade, mas a polícia dos aeroportos podia ter fotos de ambos, nunca se sabe, melhor entrar por uma fronteira terrestre. Qualquer descuido seria fatal. Fábio iria com passaporte falso. O Wallace, de Vitória, pertencia ao passado, e o Fábio Antônio Nunes dos Santos era exilado oficial. A França não comunicava oficialmente ao país de origem do exilado o seu estatuto em território francês. Em princípio, pois, nada dizia às autoridades brasileiras o nome Fábio Antônio Nunes dos Santos. Mas a queda de Zé Sérgio poderia ter complicado sobremaneira as coisas. Melhor não entilar com a sorte. Fábio ia se chamar Maurício Rogado dos Teles. O passaporte e a carteira falsa do Instituto Félix Pacheco chegariam da seção sueca da ASL em poucos dias. A saída pelo aeroporto de Orly era a mais tranquila, a polícia mal olhava o passaporte. Destino Rio. A agência bancária escolhida ficava no subúrbio do Rio, zona da Leopoldina. E a partir de agora sigilo absoluto! Poucos da ASL, seção francesa, souberam, naqueles dias, da operação. Na capital carioca os contatos já estavam à espera. Após muita discussão e avaliações, optou-se por entrar no Brasil por terra, via Bolívia. Trajeto: Lima, Cuzco (de avião), Puno, La Paz (de táxi coletivo), Cochabamba, Santa Cruz de la Sierra (de ônibus), Corumbá, São Paulo (de trem, atravessando a terra de Inaldo Sako) e Rio (de ônibus).

No dia 29, à noite, Fábio andou por dezenas de lugares onde Muriel alguma vez já tinha estado; Livraria Maspero, andou e reandou pelas ruas de La Huchette, Saint Severin, na rua

Saint André des Arts, Café Au Deux Magots, nada. De uma cabine discou para o argentino, *no, no, ya te lo dije!, no veo Muriel hace tiempo.* Se ao menos tivesse pedido a ela algum dia seu endereço na Auvergne! Teria ainda família naquela região? Quantos Leroux havia na França? Ligou para Sylvie, *non, Fabiô, elle n'est pas là.* Talvez Muriel tivesse se encontrado hoje com Lázaro, talvez tenham se amado, se beijado, se despedido. Talvez como no dia do hotel Mont Blanc. Podia ter sido coincidência. Coincidências são sempre artifícios a que se recorrem para a estruturação de um romance. Naquela vez uma excursão de brasileiros hospedara-se num hotel perto do Boulevard Saint Michel. Uma conhecida de Muriel, de Florianópolis, casada com um francês, estava na excursão. No mesmo hotel, em outra excursão, hospedava-se um amigo de Lázaro, de Salvador. Fora Muriel quem, no café da manhã, entre duas mordidas no *croissant*, falara a Fábio da coincidência. Ela ia se encontrar com a amiga no hotel à tarde.

O Mont Blanc ficava espremido entre um restaurante grego e uma cantina italiana, na rua de La Huchette, a cinquenta metros de Saint Michel. Muito estreita, a rua era reservada a pedestres. Exatamente em frente à entrada do hotel havia um restaurante turco onde se vendiam polpudos sanduíches para viagem. No interior da casa espalhava-se uma dezena de mesas. Fábio permaneceu numa delas por quase três horas. Comeu coalhada com pepino e pimenta, devorou um gorduroso *kebab*, engoliu quatro grandes copos de vinho tinto oriundo de vales da Capadócia, pediu *lukum* de sobremesa. Esperava ver Muriel sair do hotel a qualquer momento abraçada com Lázaro, ambos suados, saciados, gosmentos de amor, com gosto de especiarias turcas na boca, as pernas bambas. Como ele próprio se sentia após as palpitações febris e os sugares descontrolados da Iracema gaulesa. Às cinco horas da tarde Fábio desistiu. Pagou a conta sob o olhar aliviado do garçom com o fez meio torto e andou em direção a uma cabine telefônica. Entrou na cabine, que fedia a cigarro e a mau hálito. Introduziu uma moeda de um franco na fenda e discou o número de casa. / Alô, Muriel? / Oi, Fábio, onde você está? / Aqui perto, na Faculdade. Você não foi ver a sua amiga no hotel Mont Blanc? / Fui, de manhã. Por quê? / Por nada. O Lázaro telefonou? / Não, mas estive com ele hoje no hotel, o amigo dele estava lá.

Lázaro, depois, confirmou que tinha estado no hotel onde se hospedavam os brasileiros, por volta de dez horas da manhã. Cruzara com Muriel no *hall* e conhecera a sua amiga casada com um francês que morava em Floripa. Até tomaram chope, os três, num café ao lado de uma grande papelaria do Boulevard Saint Michel. Como o baiano conseguia cronometrar tão bem o seu tempo, logo ele? E sempre era assim. Os dois, Lázaro e Muriel, davam um jeito de estar juntos.

No passeio em Chantilly foi a mesma coisa.

Tinham visitado, num fim de semana, com André, Brigitte e outros membros da ASL, o castelo de Chantilly, situado no coração da floresta, a poucos quilômetros de Senlis. A estrada de acesso ao castelo, sem acostamento, cortava literalmente a mata. A passagem do carro espantou corvos que devoravam restos de dois ouriços atropelados e que apodreciam à beira do asfalto surpreendentemente cor-de-rosa. Como nas antigas salas de cinema, o bosque subitamente terminava e descortinava-se uma construção de conto de fadas, plantada à beira de um tranquilo lago. O grupo sentou-se no gramado, perto de onde estacionaram o carro. Tinha-se dali uma vista privilegiada do castelo. Estenderam uma toalha sobre a relva, comeram sanduíches, tomaram vinho em copos de papel. Falou-se da quinta da Boa Vista, das notícias recentes vindas do Brasil, de cinema. Brigitte e Muriel, as duas únicas francesas, quase não se dirigiram a palavra (constava que as duas não se gostavam). Muriel sentou-se ao lado de Lázaro. Serviu-lhe vinho, preparou-lhe o sanduíche, cortou o tomate do jeito que o baiano gostava. Chegou a dar-lhe na boca um rabanete e um pedaço de *brie*. Claro, Fábio recebeu também o seu quinhão. Aliás, Muriel fazia isso com quase todos, mas com Lázaro parecia mais dengosa e sorridente, quase se debulhava em mesuras e atenção. Pelo menos parecia. Fábio, numa hora, puxou a companheira pelo braço, com alguma brutalidade, e se afastaram do grupo. Ele não conseguia esconder a sua contrariedade. Todos devem ter percebido e ouvido os palavrões e acusações. "Não é possível, ainda deve existir alguma coisa entre eles!"

Anelise está trabalhando numa loja na alameda Adolfo Konder, está ganhando o seu dinheirinho, já pensou, Fabinho?, aquele pedacinho de gente que dançava contigo o pau de fita, agora uma moçona? Os louros cabelos de Elke se tingiam de sangue, o soldado gritava, a rua dos Ilhéus e a Anita Garibaldi uma praça de guerra, o Joalberto continuando a bater.

24

No dia seguinte, 30 de outubro, à noite, embarcaram para Lima, com escala em Dakar, num avião da companhia belga Sabena. Problemas técnicos na escala. Dormiram em um hotel no centro da capital senegalesa. Andaram pelas ruas da cidade, um cheiro de Brasil no ar. "De Bahia, não do Sul, ô Catarina!" Fábio relembrou a presença africana no litoral catarinense, falou da dança dos Negros Velhos do Caxangá, da dança do Cacumbi e da procissão da Mudança na ilha de Santa Catarina — "mas descendentes no Brasil de africanos ou de açorianos são brasileiros em todos os aspectos, nada mais que isso", ressaltou; referiu Cruz e Sousa. / Eu sei, a Muriel namorou um parente dele. / Exatamente, Lázaro, você não esquece ela, não é? / Só falei porque você citou Cruz e Sousa, se tivesse falado do Senghor eu ia dizer que o nome significava senhor em português, uma coisa puxa a outra, respondeu Lázaro, comentando ainda, ligeiramente, o ar misterioso de Melusina.

Fábio tentou explicar que entendia e desculpava o mistério e o mutismo de Muriel. A ASL exigia dedicação exclusiva. Em diversas oportunidades já tinha pensado em abandonar a militância e relatou um episódio vivido com Muriel que, para ele, provava à saciedade o desajuste entre amor e atividade política.

Eram os primeiros dias de janeiro de 1973. Raramente nevava forte em Paris. Da janela do oitavo andar do prédio da Place d'Italie avistava-se o Jardin des Plantes. Às sete horas da manhã de um domingo, Muriel deu um grito: Fábio, *il neige, il neige!* Duas horas depois estavam os dois no Jardin des Plantes. Muriel ria, atirava bolas de neve nas árvores, nos bancos, em Fábio. A paisagem debuxava-se como um filme em preto e branco. Só sobressaíam os olhos e a echarpe de Muriel; os primeiros se tornaram verde-azulados como nunca, a echarpe era vermelha como sangue e dava duas voltas ao seu pescoço, as pontas caíam-lhe até a cintura.

Lázaro olhava, admirativo, os gestos descritivos do companheiro.

Com a neve, os pássaros se aproximavam em busca de comida, pareciam doentes, as penas arrepiadas. Ela tinha trazido de casa uma caixa plástica com manteiga e pão velho. Ia até os arbustos próximos, punha pedaços de manteiga e de pão no chão, corria de volta para Fábio e abraçava-o. Os pássaros disputavam a comida; quando chegava um corvo, ela espantava-o aos gritos. Fábio estreitava Muriel contra o seu peito e tentava beijá-la (essa parte ele não contou a Lázaro). "É melhor olhar os pássaros, Fábio, olha como os pintarroxos têm medo dos corvos. Mas todos sabem voar" (nem repetiu, assim, imitando a voz de Muriel). Por volta de meio-dia saíram e foram caminhando pela rua Geoffroy Saint Hilaire. Almoçaram num restaurante árabe na rua Mouffetard. "Os árabes do Brasil não conhecem esse *cous-cous*. É típico da África do Norte, você sabia, Muriel? / Claro, Fábio, sabia. / Temos que comer rápido porque hoje à tarde tenho reunião da ASL. / Você adora a ASL, não é Fábio? / Foi a minha família durante muito tempo, Muriel! / Eu também tenho a minha, Fábio, espero que um dia compreenda isso. /

— Pouco a pouco eu a perdia, Lázaro, perdia! A ASL me afastava dela!

Jantaram *bouillabaisse* no restaurante do hotel Le Dakar. A noite foi tensa para Fábio. O prato pesava no estômago. O quarto com grandes espelhos e paredes de veludo marrom. "Será que o Lázaro está passando bem? Como estará ele? Que peixe havia nessa *bouillabaisse*?" Fábio já tivera sensações parecidas na infância numas férias em Porto Belo. O prateado cintilava dentro da rede puxada por seis homens curtidos de sol. Corvinas, enchovas, peixes-galo, tainhas, pescadas, sardinhas e uma plêiade de pequenos peixes debatiam-se cada vez mais e com mais força à medida em que o arrastão ia ganhando o raso. O ruído de dezenas de pequenas hélices borbulhando e revolvendo o mar próximo era cada vez mais intenso e a agitação da água mais febril. Mas a chegada gradativa e inexorável da areia firme ia trazendo a certeza da vitória do novo elemento e as guelras já não logravam captar o sopro de vida indispensável. O contorcionismo se tornava lento. Nos movimentos das nadadeiras já não havia pânico, mas resignação.

Fabinho, agarrado à mão do irmão mais velho, olhava o espetáculo extasiado e tenso. O sorriso franco dos pescadores amainava em parte a angústia. A observação da mãe também: "O caldo hoje vai ser bom." Ou foi a alfavaca, a salsinha, o coentro, a cebolinha, a malagueta ou o tomate estragado, ou o pirão que não escaldou direito, ninguém sabe. Mas Fábio vomitou todo o caldo de peixe à noite, sob o olhar medroso de Zequinha e o de chacota de Altair, acompanhado da observação: "Não era pra comer a sereia junto, ô galego burro!" Acabou tendo que ir para o hospital de Itajaí tomar soro. Segundo a mãe, ele quase morreu de desidratação naquele dia. A *bouillabaisse* era um caldo de peixe, nada mais! Altair tinha razão; dessa vez uma sereia senegalesa deve ter sido engolida junto.

Fábio adormeceu na sua pegajosa noite africana lá pelas três da manhã. Se Muriel estivesse ali, ela faria um chá de camomila.

Às seis horas e trinta minutos daquela madrugada, o ônibus da Sabena passou para levá-los ao aeroporto. Dakar, colorida e úmida, acordava. Na decolagem, um friozinho na barriga; deixavam para trás, mais uma vez, os coqueiros, as cores e os sorrisos. E se o avião fosse para Bruxelas ou Paris, seria melhor ou pior? Algumas horas de voo, terra — / é o Brasil, porra, Lázaro! / não, Fábio, podem ser as Guianas ou a Venezuela / — mais uma hora e pouco e o oceano Pacífico. Apesar do mar, não apareceu nem o azul de Florianópolis nem o de Itaparica. Lima era cinzenta e triste. E América Latina até os ossos!

25

COMEÇAVA A EXCURSÃO sul-americana. O primeiro controle de passaportes no aeroporto de Lima se deu sem sobressaltos. Na capital peruana hospedaram-se num hotel (Europa), na Praça San Francisco. Ficaram no mesmo quarto. Só saíram para um passeio discreto pela Plaza de Armas, olharam calados as igrejas, detiveram-se mais na de La Merced. A única troca de palavras entre os dois foi para se perguntarem se tinham consciência mesmo de para onde estavam indo e do que iam fazer. Restava a hipótese sedutora de cair na clandestinidade e simplesmente viver no Brasil. "Vamos ver como estão as coisas no país de Cucanha", respondeu Lázaro a uma pergunta confusa do companheiro catarinense.

Avião para Cuzco. Os Andes se aproximavam, o brilho da neve nos picos feria os olhos. O sol nas dunas das praias da ilha de Santa Catarina, o reflexo na lagoa da Conceição. Um tocar evitado, um olhar desmirado, um segurar trêmulo de uma Anelise fingida no ai exagerado pelas pontas das conchas quebradas nas areias de Florianópolis, a gota de sangue na sola do pé dócil, disponível, desarticulado do corpo, enxugada pela língua do futuro marido salvador num pacto de juras, projetos e amores eternos. Onde estará Muriel a essa hora?

Cuzco impressionava. Agora era a civilização inca até os ossos, e o céu azulíssimo. O *inti* queimava forte. As construções ibéricas contrastavam com o colorido das roupas e as tranças negras dos índios. E Machu Pichu não estava longe. Não vai ser dessa vez, voltaremos de férias, prometido, mano! Estavam hospedados no Grand Hotel Bolívar. Os três mil e quinhentos metros de altitude da cidade andina aproximavam o mundo do céu. Os dois passaram duas horas sentados nos bancos da também Plaza de Armas, só que de Cuzco. Depois andaram morosamente pela cidade, tocaram a tal pedra de doze ângulos, viraram em todas as esquinas. A placa da calle Afligidos lembrou a da rua do Lavradio. Fábio teve enjoos, não sabia se era do cheiro de querosene das carrocinhas de comida oferecendo *cebiches* ou da fritura dos espetinhos de coração de boi ou dos choques elétricos da rua da Relação, no Rio.

Dois incidentes ocorreram mais adiante.

Em Puno tomaram um coletivo, velhos Cadillacs americanos onde cabiam sete passageiros, além do motorista. Direção La Paz. O lago Titicaca os acompanhou por um longo tempo. O hotel da calle Tacna, em Puno, indicado por Sarinha, era uma merda, o assento do carro mais confortável que o colchão do quarto do El Inca.

Numa das paradas para o lanche, baixou em Lázaro — com toda razão — um baita complexo de rejeição. Na hora de embarcar, todos entraram, só o baiano ficou de fora! Um passageiro novo se havia aboletado no banco da frente e murmurava que dali não saía porque tinha urgência de chegar a La Paz. O motorista insistia em proclamar que o carro só comportava oito pessoas. Houve um bate-boca dos dois brasileiros com o motorista e o novo passageiro. Só o baiano em pé, fora do útero! Talvez por isso o desespero foi aumentando e Lázaro, com alguma violência, puxou o cuco pelo colarinho, que, claro, não gostou e chamou-o de "*negro hijo de puta!*". Lázaro aí mesmo que se enfezou e também chamou o outro de índio filho da puta. A coisa complicou porque todos tinham cara de índio, excetuado um alemão que não entendia nada. O intruso, transformado em vítima, acabou recebendo o apoio dos demais passageiros. Fábio e Lázaro tiveram que ficar no vilarejo andino. O alemão, que continuava sem entender direito, também saiu do Cadillac, por precaução ou por solidariedade. Mas não foi difícil encontrar outro coletivo.

Em La Paz, hospedaram-se num hotel perto da Catedral, não longe da Plaza Murillo. Tomaram chá de coca oferecido pela direção do hotel. Ajudava a diminuir a taquicardia causada pelos quase quatro mil metros de altitude. A cidade situada numa cratera, construções espanholas fantásticas, às vezes surpreendentes cumprimentos em quéchua ouvidos na rua. Cheiro de querosene no ar saindo das centenas de carrocinhas de comida espalhadas por toda a cidade. Pobreza geral, como em Lima.

Lázaro teve fortes dores de estômago. Apesar de se cuidarem com a alimentação. Comeram *empanada salteña,* talvez tivesse sido a pimenta. Antes tivessem provado os brochetes de coração de boi, que chamavam *anticuchos,* ou algo parecido; pelo menos dava para ver e sentir se estavam estragados. Mas Lázaro, no dia seguinte, acordou bem. Para Fábio era o medo, o cheiro de Brasil já se fazia sentir. Compraram dois belos casacos de lã de lhama. Fábio detinha-se diante das placas das ruas, olhava-as demoradamente, como para se certificar de algo. Na da rua Tiahuanacu com rua F. Zuazo começou a sentir enjoo, os olhos turvos. Despertou com a batida forte de Lázaro nas costas: "Vamos andando, ô babaca!"

Ônibus para Cochabamba e Santa Cruz de la Sierra. Outras crateras, agora na estrada. Curvas. Enjoo. A *chicha* tomada aos litros (maneira de dizer!) em La Paz caíra mal. Fábio buscava os olhos de Muriel. Aqueles olhos que puxavam para dentro, como os de um furacão; entrava-se em Muriel Melusina por todos os buracos, ela devorava, é isso, ela devorava. Acordava águas quedas, o desejo desembestado de sexo. O açor infrene irrompido do turbilhão de fluidos, sons, hálitos e fricções. Mas despertava o medo da perda iminente do prazer; o pavor da voragem egocêntrica. O Lázaro se referia a esse particular — cuidado com a vagina dentada —, sim, era isso mesmo. Quem aplacava aquela fome? Por que Muriel largou Lázaro? Algo mais forte, lá dentro, deve ter empurrado ela pra mim, os passageiros do ônibus Rio-Buenos Aires, eu, todo mundo, ela também era dividida, porra!

Glorinha ajudando a levar a mala na rodoviária, a escada íngreme que leva à plataforma dos ônibus, milagre da engenharia brasileira, a brincadeira de Glorinha, os que bolaram essa escada é que deviam ser torturados, não você, o carinho sempre presente, o perfume caro, as roupas caras, o olhar e o sorriso falsamente felizes naquele momento, o aceno lento, o ônibus saindo, o polegar de Glorinha levantado, tudo vai dar certo, aquele rosto plácido, lindo, bem maquiado, as essências das flores dos perfumes caros aspergindo os sucos do orgasmo no hotel do Jardim de Alá, os olhos negros protetores, a companheira de todos pra tudo, e eu ali um lixo, no fundo do poço, arrasado, e ela toda limpinha, como pôde me querer também como homem? Eu devia ter mau hálito, tudo de ruim, os torturadores tinham levado o meu viço, a minha vida, o meu prazer.

Em Santa Cruz dormiram num hotel na praça central da cidade. Agora foi a vez de Fábio. O *aji,* o ensopado de porco, a língua com pimenta malagueta, a comida do Comedor Popular ou simplesmente o medo eram incompatíveis com as paredes estomacais. No dia seguinte, cedo, saía o trem para o Brasil. Será que vai passar perto de La Higuera? A alma de Guevara de lá vigiava a esquerda desde 1967. "O sacana criou o foquismo, que não era a estratégia correta, mas que a gente tem que homenagear ele lá isso tem, sem perder a ternura!", proclamou Lázaro, sisudo, recuperando o seu porte de imperador africano.

26

Como a entrada na Bolívia, o ingresso no território nacional — os dois chamavam o Brasil assim, naquele momento — também foi feito sem maiores complicações. A emoção e a saliva tal sangue escorrendo pela garganta vieram mais por conta do guarda brasileiro com cara de índio do Mato Grosso falando português — como se parecesse normal uma autoridade falar essa língua, com expressões idiomáticas e tudo! —, fazendo perguntas simpáticas e batendo no ombro de Lázaro e Fábio tipo velhos amigos de escola. Hotelzinho em Corumbá — hotel O Pantaneiro, passeio no rústico mercado de peixes na beira do rio Paraguai "são de água doce, mano, você já pensou bem nisso, Fábio?", caminhada pelas ruas da cidade, praça da Independência, movimento de pedestres, lojas, um aperto na garganta, tudo em português! A placa da primeira esquina da rua do hotel,

América com Sete de Setembro, impávida. Nenhuma reação física de Fábio. Adeus vômito da Lavradio com Mem de Sá.

Em um bar de Corumbá, eles os únicos clientes — o grupo barulhento que, pelas conversas, trabalhava nos barcos de turismo do Pantanal já se retirara —, sabe-se lá se pelo ar abafado, pela sensação de estar no Brasil, pelo peixe grande de água doce, pelas palmeiras imperiais plantadas como atalaias da consciência diante do rio, enfim, falaram em voltar, essa foi a vontade, retornar a Paris.

— Voltar para o Brasil, sim, mas não nessas condições. Se arriscar desse jeito? Fazer poética com arma de fogo; não pretendo ser o bardo viajante da ASL. Tanto tempo querendo ver e escutar esse país, cacete! Voltar como ladrão?

— Não, Lázaro, não é como ladrão, é obedecendo à organização.

— É sim, é como ladrão; sem articulação com o movimento político, sem ligação com movimentos populares; ou volto pra Paris ou me escondo na Bahia, mano, clandestinamente, morou? No meio do cacau, no Pelourinho, Itaparica, Monte Pascoal, em Katmandu, estou fora, meu chapa! E não vem com ordem de chefe de operações!

— A gente então devia ter dito antes, Lázaro.

— Estou dizendo agora.

— Então vamos voltar, porra, está bem! Eu vou procurar Muriel, viver a nova vida que já tinha escolhido.

— Vai, Fábio, vai, você vai se foder de novo!

Fábio pôs-se de pé indignado, foder, como, fala! Lázaro levantou, a pequena mesa com o prato de farofa virou, a cerveja derramada empapou o chão de terra batida. "Calma

Catarina, calma", pediu Lázaro. Fábio sentou-se, os olhos na espuma da cerveja se consumindo no chão de terra. Lázaro foi até a margem do rio, Fábio para o bar do hotel.

Uma hora depois o catarinense viu o companheiro baiano na portaria. Tinha ar decidido, o rabo de cavalo meio empinado. Fábio, de longe, levantou o copo de cerveja em sua direção. Uma homenagem! O amigo se aproximou, sentou-se à mesa fitando a porta do hotel, só dirigiu o olhar para Fábio para perguntar — você quer voltar ao Brasil pra morrer, Fábio? — Eu não, Lázaro — Nem eu, Catarina, é só isso, desculpa, estou com raiva de tudo e com um pouco de medo. — Eu também, Lázaro, eu também. A assembleia hoje somos nós: ficamos ou voltamos?

— Pensei bem, não tem saída, Fábio, não tem saída, temos que ficar, infelizmente. A gente devia é ter bolado, naquela vez do enterro do Carlos Walter, em Paris, uma grande união, uma grande frente pra fazer face aos problemas de injustiça social no Brasil, não deu, agora azar, é tocar pra frente mesmo, mas quanto a mim, é a última vez que ajo no âmbito da ASL, depois vou tratar da vida.

— E eu volto pra Muriel no final de toda essa loucura. Amanhã tem o trem para São Paulo.

Lázaro dessa vez não redarguiu.

Brindaram.

Mas Fábio se sentiu machucado com o "você vai se foder de novo". Lázaro feriu-o. Muito. A expropriação bancária era, no entanto, o mais importante. Levaria a pena na algibeira, a pena moral. Daquela de "escrever coisas bonitas" já há muito se desfizera. Jogara-a ao cesto de lixo do jardim do Luxemburgo, em Paris, no dia em que Muriel — ou não tinha sido ela? — fora se entregar aos prazeres e aos gemidos roucos nos braços roliços com celulite de um amante com hálito de álcool barato arrotando alho frito e fedendo a suor de camiseta mal lavada e babada de sopa e de molho de tomate do espaguete devorado às pressas na cabine do caminhão estacionado à beira da autoestrada. Sim, Muriel era capaz de tudo, de qualquer amante, ou pelo menos o seu silêncio possibilitava todas as leituras. Lázaro sabia-o. Também Ana Letícia, a filha de diplomatas, nomeada grande executora da política educacional do Brasil, gostava dos prazeres arrancados no escuro do Bois de Boulogne no meio de travestis ou nas escadas do metrô depois do fechamento das portas. Muriel não devia ser muito diferente! E o dinheiro de Marselha?

A dor da algibeira — não era bem uma algibeira, já não se usava, mas um bolso de túnica indiana — ele a retiraria e a jogaria um dia na cara do companheiro. Amigo ou conta tudo ou não é amigo, o que Lázaro sabia mais de Muriel? Quais os tipos de amante ela preferia?

27

O TREM SAÍA DE MANHÃZINHA. / Você viu o sujeito da Polícia Federal da fronteira, Lázaro? É ditadura e tudo, mas dá mais medo daquela tropa de choque da polícia francesa, os CRS, do que do representante da tortura aqui, como é isso, pô? / É que ele, justamente, não é representante da tortura, os brasileiros são vítimas do governo militar, não algozes, Fábio, são vítimas.

O trem jogava muito. Dois senhores liam jornais. A imprensa noticiava com destaque a recente crise do petróleo que dava de relho nas potências europeias. O Brasil era chicoteado junto. Os prognósticos permaneciam sombrios. Até o fim do ano o preço do barril de petróleo aumentaria assustadoramente. Uma mulher, no banco da frente, acompanhada pelo marido e pelos três filhos, falava de quisto no ovário, muitos de futebol, grande parte dormia.

No fim dos trilhos poderia estar Muriel, mas não, cada dormente que passava, ao contrário, era um metro a mais de distância entre os dois. O que a gente está fazendo nesse trem? Tratar da vida, pedir desculpas a Muriel, recompor a relação, fazer um financiamento de casa, comprar móveis, um quarto de criança, uma vida estruturada como qualquer um. O Lázaro poderá escolher uma mulher, talvez a argentina ou a médica, casar, ter filhos. A Muriel tem cabeça pra me desculpar, era a tensão política, a lembrança do centro de terror, o choque elétrico, as porradas, o torniquete, foi isso que me deixou meio transtornado naquele dia, a impressão de que tudo ia voltar, Zé Sérgio tinha caído. Ver o Brasil emociona, mas sem ela, adianta? Mas agora não tem mais volta mesmo. É a última ação na ASL, depois vou pular fora. Eu nem sabia que o encanto amoroso existia, pelo menos assim tão forte. A gente volta com o dinheiro, Lázaro vai pra vida dele, eu pra minha. Uma vez por ano podemos nos encontrar pra bater papo, cada um segurando os filhos pela mão. Quem sabe eu em Clermont-Ferrand, ou em Aurillac, ou, se tudo acabar bem um dia, em Florianópolis, se Muriel quiser. Vai poder reencontrar o Batuque Emparedado do descendente de Cruz e Sousa, que viu nascer. Lázaro em Salvador, Itapoã ou perto do Pelourinho, ou em Paris se preferir, ou voltar a conviver com Getúlio, Farida e Khaled se quiser! Agora é fechar os olhos, mergulhar e esperar a onda passar; e tentar não morrer no assalto.

Pantanal, campos de soja, de trigo, laranjais, levas de japoneses entrando nas paradas do trem no interior de São Paulo. A viagem parecia não acabar mais. Finalmente a capital (sempre surpreende a quantidade de prédios). Táxi — teria sido melhor e mais rápido ir a pé, ficaram num engarrafamento por um pedacinho de nada — em direção aos ônibus São Paulo/Rio.

O segundo incidente se deu na rodoviária de São Paulo.

Fábio trazia algum dinheiro no bolso de trás da calça. Na escada rolante houve um empurra-empurra. O dinheiro, nessa confusão, se volatilizou. Indignado com o seu país, quis ir dar queixa no balcão da polícia. Esbravejava e dizia que tinha vontade de matar essas merdas de ladrões. Lázaro, a muito custo, conseguiu acalmar o amigo que parecia ter vontade até de chamar os agentes do DOI-CODI para encontrar o batedor de carteiras. "Fica frio, lembra onde você está e por que a gente está aqui, pô!", sussurrou Lázaro para o amigo catarinense.

Mas, fora isso, tudo transcorreu normalmente, inclusive a verificação de documentos pela polícia em vários momentos da viagem. Foram dois fatos irrelevantes esses, dos Andes, de Corumbá e da rodoviária, e potencializados, em parte, pela excitação e nervosismo que se apoderavam dos dois membros da Aliança Socialista Libertadora diante da envergadura da ação que se aproximava.

28

A RODOVIÁRIA NOVO RIO continuava igual. Um lixo. Não tinha *camembert,* nem bistrô, muito menos *beaujolais.* Vendedor de mate, limonada, jujuba, ficha de telefone, mariola, loteria, amendoim torrado, cheiro de mijo e vomitado.

A lembrança patética da rodoviária, o choro no banheiro, Glorinha do lado de fora, o homem, com a caixinha-obrigado de papelão com moedas e cédulas de dinheiro ao lado, olhando calmamente, as dores nos ouvidos, a nítida sensação do choque elétrico, uma tremedeira vindo de baixo pra cima, o descontrole da urina, dos intestinos, agora tem que tomar banho, disse o homem da caixinha-obrigado, deu uma toalha, tem que pagar, Glorinha deve estar inquieta, a cara dela de repente aparecendo, aqueles olhos negros profundos e acolhedores, eu ainda todo sujo, o homem da caixinha-obrigado dizendo o de mulher é ao lado, eu sei, disse Glorinha, desculpa, a ducha fria, sensação de exterior, o ar puro, água pura, logo o fedor de urina do lado, a cara no espelho, horrível, lívido, descabelado, enrolado na toalha, a boca azeda, a cara de novo da Glorinha, o pente oferecido, roupas limpas tiradas da mala, um sorriso amigo, de anjo, as roupas sujas no lixo, o olhar de cobiça do homem da caixinha-obrigado, eram roupas de marca, é só lavar, deve ter pensado.

Era domingo. Fábio e Lázaro entraram num táxi. Para a rua Arnaldo Quintela, Botafogo! Sobrado. Recepção pela Carmem Lúcia e pelo Roberto. Tudo cifrado. Palavras isoladas, frases cortadas, olhares oblíquos. Lázaro (que passava a se chamar Valério) vai para a Dias da Cruz, no Méier. Guarda o número do endereço na cabeça, está aqui a chave. Dinheiro pro táxi. Tem um carro que vai ficar com o Maurício (nome de Fábio). DKW, Vemaguete, azul. Carteira de motorista em nome de Maurício Rogado dos Teles. Encontro na quinta-feira na São José, no botequim que tem uma infinidade de tira-gostos, quase em frente à Assembleia Legislativa.

Só naquele dia Carmem Lúcia e Roberto conversaram com os recém-chegados. Depois se calaram como por encanto. Referiram-se à correta decisão do proletariado boliviano, em 1971, na busca de uma assembleia constituinte popular; falaram de revolução permanente, da stalinização dos partidos comunistas da América Latina, da lição do golpe fascista no Chile em setembro, de Watergate e da podridão do imperialismo, entremeando o discurso com — viva o governo operário-camponês; socialismo sim, reformismo burguês não; basta de frentes populares traidoras.

O sobrado era extremamente simples, no frontispício estava estampado, em relevo, o ano de 1907. Pertencia à avó de Carmem Lúcia, que morava em Montes Claros. Todo o resto da sua família vivia em Belo Horizonte (essas informações, verdadeiras ou não, foram fornecidas pela própria Carmem Lúcia). No térreo, com pé-direito muito baixo, havia três quartos alugados a pessoas solteiras. Uma senhora de idade no primeiro quarto, perto da entrada da rua; no segundo, uma jovem vistosa que, ali pelas onze, saía para ir à praia, de toalha amarrada na cintura, retornava às duas, ouvia música brasileira romântica e, lá pelas dez da noite, saía toda produzida e voltava de madrugada; e, no quarto dos fundos, um travesti que ouvia *rock* altíssimo e cantava junto, aos berros. "O aluguel é pago a um advogado no centro da cidade", explicou Carmem Lúcia. "É importante que vocês saibam, porque senão os inquilinos de baixo vêm aqui falar sobre o contrato. Minha família pretende vender o sobrado; eu disse ao advogado que vocês são parentes meus de Montes Claros, mas, para os inquilinos, nós estamos alugando essa parte da casa por temporada."

A notícia terrível, Glorinha tinha caído há um mês, Carmem Lúcia deu a informação com naturalidade, pensava que todos soubessem, por isso Glorinha não atendia mais aos telefonemas de Paris, presa na Barão de Mesquita, estuprada com cabo de vassoura, infecção generalizada, foi o que salvou ela, hospital Silvestre, Clínica da Gávea, o pai tinha influência, demitida do serviço público por portaria ministerial, conseguiu se exilar em Buenos Aires, mas continua em estado de choque, não sai da cama, acabou, sob tortura, denunciando colegas de trabalho mas não entregou ninguém da ASL, já tentou suicídio duas vezes em Buenos Aires, perdeu vinte quilos, não consegue manter a cabeça reta, fica sempre virada pro lado, os filhos da puta!, chora o tempo todo, a ASL riscou ela do mapa, mais seguro pra todos. Estarão ainda brilhando aqueles olhos negros? Os torturadores canalhas!

29

Na primeira noite o rapaz do quarto dos fundos voltou às três da manhã, acompanhado por um grupo barulhento, e cruzou com a moça do segundo quarto. Ela deve ter se sentido agredida por algum comentário pois gritou a plenos pulmões "bicha louca, bicha louca!, piranha é você, teu sonho é ter dois buracos!". Talvez como vingança, o grupo ouviu música a todo volume durante quase todo o resto da noite. Era The Doors. O mesmo disco que o vizinho do apartamento de Paris de Fábio costumava ouvir nas suas noites de insônia. Muriel gostava da música. A velha do primeiro quarto foi reclamar. Quando a música cessou, já eram quatro e meia da manhã. Fábio só apagou a luz nessa hora. Agora sim, o escuro sem fronteiras, pontos cardeais fincados ao sabor de desejos, sentenças, gozos e personagens dominados e ao alcance das mãos.

Carmem Lúcia e Roberto — ela de uns quarenta anos, morena, ele mais novo, de barba, com cabelos ralos — dormiam no quarto dos fundos, com menos claridade, porém mais silencioso. No quarto deles havia duas camas de solteiro, no de Fábio dois colchonetes no chão. Impossível saber o que faziam em Belo Horizonte, se eram amantes e se esses eram seus verdadeiros nomes (certamente não). A militância clandestina sob uma ditadura exigia que quanto menos um conhecesse do outro, melhor. Na certa era "nome de guerra".

Fábio tinha ordens de, na medida do possível, permanecer no quarto e evitar falar com as pessoas. Lia todos os jornais.

Se apenas vinte e dois por cento da área territorial do país estão completamente levantados, se há um Brasil conhecido e um desconhecido, se há rio no Amazonas que passa a mais de cento e cinquenta quilômetros do local indicado no mapa, agora imaginem do ponto de vista da população. Qual o tamanho do Brasil desconhecido? — indagava o articulista de um grande matutino. Tropas egípcias atravessaram o canal de Suez em pleno Kipur. A guerra entre Israel e Egito ia acesa. Kheira e Saïd tinham razão naquela vez, em Senlis. O debate na área teatral, no momento, era saber se a expressão corporal alienava o palco ao arrancar a palavra do centro das preocupações teatrais. No cinema o pau comia. Só no dia 22 de junho a censura tinha proibido a exibição de dez filmes. Os jornais se limitavam a elencar os filmes censurados. Falava-se de futebol, recuo do comunismo no mundo, Brasil grande, força da família, tratamento para obesos. Fábio comentaria com Lázaro, mais tarde, que o que surpreendia no Brasil, em contrapartida, era a exuberância da qualidade de vida de grande parte da classe média. O país era, em vários aspectos, mais moderno que a Europa e as pessoas — mesmo as de classe média baixa — viviam com mais conforto que em Paris ou Londres. Claro, completou Fábio na ocasião, não se incluíam aí os sessenta e cinco por cento da população brasileira que se viravam como podiam.

30

Lázaro foi alojado num sala e quarto mobiliado, segundo andar, de frente para a Dias da Cruz. Prédio de três andares. O apartamento estava alugado em nome de uma mulher, como se podia ver pela correspondência acumulada. A regra da ASL era não fazer muitas perguntas. No térreo funcionava uma loja de colchões. O apartamento do terceiro andar servia de escritório e depósito para uma pequena fábrica de copos e pratos de papel, e tampouco era habitado à noite. Lázaro, assim que chegou, já de noitinha, conheceu o chaveiro que trabalhava a cem metros do seu endereço. Foi quem descreveu os ocupantes do terceiro andar. A chave da porta de entrada quebrara dentro da fechadura quando Lázaro fez o primeiro movimento de rotação. O chaveiro, muito falador, acabou por convidar o novo cliente para um chope no bar da esquina. Era flamenguista doente mas, para ele, o melhor jogador do Brasil no momento era o Fischer, do Botafogo. Falou dos programas de televisão e das dançarinas — cada coxuda! — no domingo à tarde. Lázaro explicou que andava meio por fora, tinha morado no exterior, Paraguai, durante os últimos dois anos, estava voltando, ia trabalhar num escritório de contabilidade na rua Visconde de Inhaúma. O rapaz confirmou que notara o sotaque dele meio enrolado, parecia meio gringo; não, não, sou baiano, de Salvador, retrucou Lázaro. O chaveiro falou ainda sobre meio ambiente, assunto da moda na televisão em função da construção da Transamazônica. Explicou que a maluquice do governo era total; como não conseguiam resolver os problemas um a um, faziam leis gerais, que nem um rolo compressor; só que, claro, os que burlavam a lei continuavam e os grandes problemas eram encobertos pelos pequenos. "Por exemplo", ensinava, "as coitadas das crianças da favela aqui perto pegam coleirinhos no alçapão na capoeira junto ao morro. Cada moleque desse já se sente um marginal porque é proibido prender passarinhos selvagens, a lei vê eles como bandidos. E eles também se sentem meio bandidos por causa dos coleirinhos. É a única brincadeira deles, e é muito antiga. Agora vê!, a matança dos animais no Brasil continua nas grandes fazendas no Amazonas, na Transamazônica, no comércio de madeira, no desmatamento. E os pobres dos garotos? O governo não consegue ou não quer criar critérios que são difíceis pra aplicar, então é a lei geral, que só fode os pequenos."

Lá pelas tantas apareceu um amigo do chaveiro cuja profissão deixou Lázaro gelado. Ele era olheiro nas faculdades da cidade do Rio de Janeiro, principalmente na Estadual e na Federal. Trabalho fácil, só ficar olhando, disfarçado de estudante, ouvindo e detectando atitudes suspeitas. No fim do mês saía um jabaculê na Polícia Federal. "Mas quase nunca se vê nada, às vezes a gente alcagueta alguém pra mostrar serviço, o cara é chamado no DOPS, mas sempre volta pra faculdade. Um colega de trabalho, uma vez, conseguiu denunciar um estudante subversivo na Faculdade de Medicina do Fundão; através dele pegaram mais uns dez em Ipanema, tinha filho de rico e tudo, claro, tinha pobre também."

Lázaro voltou para casa cerca de meia-noite. O papo com o chaveiro tinha sido longo, fútil e superficial mas sedutor, ilustrativo — e perigoso. O amigo do chaveiro podia ter aprendido alguma astúcia que detectasse "subversivos".

Acordou às cinco e meia da manhã e às seis já estava num ônibus em direção a Botafogo, antes das sete chegava na Arnaldo Quintela. Contou toda a conversa e a avaliação da ASL foi rápida: deve sair, durante a noite, do endereço do Méier e vir para a Arnaldo Quintela. E não tinha é que ter conversado tanto com desconhecidos, estivesse a fim de ouvir o povo autêntico falar ou não, porra!

31

LÁZARO, NAQUELA MESMA NOITE, de segunda para terça, sumiu do Méier e se instalou na Arnaldo Quintela. Dois dias depois ia ser a expropriação bancária. E ainda naquela mesma noite, os dois militantes parisienses da Aliança Socialista Libertadora conversaram durante duas horas, em voz baixa, deitados no escuro, quase sussurrando, olhando para um teto de quarto que não enxergavam.

— A sensação que a gente tem, Fábio, é que o individualismo vai crescendo cada vez mais no Brasil; os ídolos vão sendo os esportistas e os grupos musicais, que têm propostas alienantes e batem na tecla do prazer individual, ainda que haja milhares de pessoas nos estádios de futebol e nas salas de espetáculos. Os movimentos coletivos são apenas a união de independentes, não têm articulação. É dramático. Imagina como vai ser a sociedade brasileira no final do século.

— Tem razão. Uma outra coisa que a gente nota é que no Brasil ninguém tem realmente orgulho do país, não se acredita no governo, nas autoridades, nas instituições, talvez porque as pessoas não tenham orgulho de si mesmas, sei lá. Pode ser a herança portuguesa, mais triste e descrente, por exemplo, que a espanhola, dois países com traços históricos semelhantes. Portugal vive da esperança. Nas touradas portuguesas o touro não é sacrificado, a emoção não vai até o fundo, Carmen não podia ter sido portuguesa, tá na cara. O Brasil também vive da esperança, país do futuro. Mas o traço africano dá um quê especial ao país, é verdade, até a Muriel já me falou disso, Lázaro.

— Eu sei, Fábio, eu sei, ela também já me disse.

— Falava sempre?

— Não, só de vez em quando.

— Você está gostando do Brasil, Lázaro?

— Estou e muito. E gostava lá do Méier, mas não entendi por que não ficamos logo juntos.

— Pra evitar aglomeração, dá na vista. Não esquece que a tortura continua — pau de arara, queimaduras, choque, afogamento, porrada.

— Aqui é mais perto da praia, Fábio. É mais rico, é a Zona Sul. Por que fui eu e não você pra lá? Por que é você que dirige o carro? Por que tudo que é mais importante fica com você? Quer saber?

— Quero!

— Porque eu sou preto, mano, por isso.

— Nada disso, Lázaro, lembra que na ASL existem normas, principalmente nesses casos, tipo operação de guerra.

Pensa nos centros de horror da rua Tutoia, em São Paulo e da Barão de Mesquita aqui. Bateu deprê, Lázaro? Você que anda só com mulheres brancas!

— Mas vou casar e ter filhos com uma negra, se Deus quiser.

— Pra um militante de extrema esquerda são palavras sensatas e muito politizadas, companheiro! E o socialismo?

— Foda-se ele, a gente vai acabar morrendo, Fábio, já pensou bem nisso? Você tem razão, se agarrar numa mulher, como Muriel, casar, ter filhos, uma casa, é melhor que fazer a revolução pros outros, morou? A gente devia transferir a nossa energia da ASL pro altar e pra maternidade.

— Eu nunca disse exatamente isso. O pessoal da Aliança Socialista Libertadora é bacana, a ASL é uma organização revolucionária com um puta projeto político, ou não, Lázaro?

Lázaro suspirou, tamborilou a parede com os dedos, ajeitou o travesseiro.

— É, estava brincando, mano, afastando o medo do dever de depois de amanhã, estava só pensando alto. Às vezes acho que a gente devia desistir, Fábio, desistir. A gente pode morrer. Se escaparmos, vou escrever a história de tudo isso, desse desejo todo de mudar o país. É um desejo de escrita, vai ser a escrita do desejo. Falar da minha revolta, da tua revolta. Esse capítulo vai se chamar "A revolta da cafua".

— Vai virar escritor, ô baiano?

— Vou. O problema é que a arte só nasce de alguém desgarrado da manada; por isso ela é meio sinônimo de sofrimento e ansiedade. O criador divide a criação com ele mesmo mas a criatura, para existir, precisa do resto do grupo. Daí a esquizofrenia do artista, ser social.

— Até aí você tem razão, Lázaro. Sem o coletivo a gente se sente desamparado. É a ideia do rebanho da religião e da política. Como pseudônimo eu proponho que você use Doce Caramelo.

— Não estou brincando, Catarina, para de me sacanear. Estou a fim de escrever mesmo. Acho que a obra, já que depende do coletivo, tem que ser vista na sua totalidade. Extrair partes e analisá-las é enveredar por vielas estéreis. É como encarar o belo por trechos. Nariz, olhos, cabelos, boca, jeito de ser, sorriso, voz, rebolado, porra!, é o conjunto que vale, mas que estou com medo da nossa operação de guerra, estou, ô Catarina.

— Eu também estou com medo, Lázaro. Não quero que você fale nada pro Roberto e pra Carmem Lúcia, mas estou tomando calmante. A farmácia ali na rua da Passagem vende sem receita, é mole mole.

— Fica tranquilo, Fábio, estamos nesse bololô juntos. E esses caras, justamente, a Carmem Lúcia e o Roberto, são marido e mulher?

— Não sei, Lázaro, as ordens foram de não fazer perguntas, eu não conhecia eles, são de Belo Horizonte. Você não lembra de Feira de Santana? Deve ter sido igual, sigilo, nomes falsos e tudo, não foi assim?

— Mais ou menos, Fábio, mais ou menos, foi meio desorganizado. Estou achando alguma coisa esquisita, ô Catarina. Não sei se é o escuro do quarto; a gente bota a intuição e as emoções pra trabalhar, mas, me diz: por que nós, que fomos considerados pouco sérios pela Sarinha e pelo Alex, recebemos essa incumbência perigosa e cheia de responsabilidades? Querem se livrar da gente?

— Acho que não, do contrário Carmem Lúcia e Roberto não estariam aqui. A cólera e a amargura brotam, impetuosas, quando se tem que ajudar e apiedar-se de outrem em nome de postulados da sociedade judeu-cristã sabendo-se que não haverá reciprocidade. Dá um nó no estômago. A gente manda o elevador, o cara usa e não manda de volta. Não sei até quando vou continuar ajudando o outro.

— Não entendi, Catarina. Você quando vira chefe vira sabichão. Mas voltando, espero que a ASL, no fundo, reconheça que somos os dois únicos que têm colhões; acho que o que parecia um processo de expulsão da organização, naquele dia de Nuremberg, Fábio, em Paris, era, no fundo, uma projeção: nós não conseguimos fazer, só os dois conseguiram, que sejam eliminados!

— Não começa com as tuas análises psicanalíticas, a médica entendida do assunto não está aqui contigo, Lázaro, não tem Jussieu nem Sorbonne.

— Eu sei, Fábio, nem Melusina.

— O que que você quer dizer com isso?

— Nada, Fábio, nada, uma coisa puxa a outra.

Fábio virou-se para o lado da parede. Em quem será que a Melusina pensa agora? Muriel mergulhava no verde-azulado do mar de Florianópolis. Saudades da sensação da mãe escorrendo suave as mãos por entre os seus cabelos sujos de lama do futebol da rua, o sorriso materno legitimando a leve e didática transgressão dos limites; saudades ainda da aproximação ingênua da sombra da mãe, pé ante pé, observando os fingidos olhos fechados dos filhos na penumbra do quarto; do tio José e suas corvinas pescadas lá pras bandas de São Francisco; do pai curvado, as lascas de madeira e a serragem no chão, segurando o formão, conversando com os santos que milagrosamente iam nascendo, do abraço na cintura — olha, meu filho, um pedaço do santo já está quase pronto! Saudades do calor do corpo de Muriel. Será que não é melhor desistir do assalto? Ainda dá tempo. Voltar pra Paris ou viver escondido, trazer Muriel pro Brasil, a Glorinha não consegue manter a cabeça reta, os cachorros! Lázaro terá adormecido?

32

LÁZARO SE ENCONTROU na terça-feira, às onze horas, na Praça Tiradentes, com um membro da ASL que integraria o grupo de assalto ao banco. Ordens a Valério, de Maurício, passadas por Roberto, vindas de São Paulo. A hierarquia da ASL estava a todo vapor. Passar ao companheiro dia, hora, encontro na São José. Sigilo absoluto. O membro da ASL usava cavanhaque, carregava uma sacola de plástico do Flamengo e cantarolava um grande sucesso de Clara Nunes. Foram o traje e os detalhes combinados para o reconhecimento. De um sobrado, no segundo andar, vinha som de boleros. "É ensaio pra gafieira do fim de semana", comentou o dono do botequim onde os dois membros da Aliança Socialista Libertadora se encontraram. Na quinta-feira, às treze horas, rua São José. O contato foi rápido, Lázaro passou as informações, tomaram um café, o companheiro da ASL comeu uma coxinha.

Às dezesseis horas desse mesmo dia, Lázaro tinha outro encontro, *rendez-vous*, como insistia em dizer, numa pizzaria na Ataulfo de Paiva, no Leblon. Ordem do comando da ASL de São Paulo.

Da Praça Tiradentes seguiu pela rua da Carioca em direção à Rio Branco. Das dezenas de lojas de discos saíam, quase vivos, Gal, Bethânia, Raul Seixas, Os Mutantes, a Velha Guarda da Portela, Martinho da Vila. Lázaro diminuía o passo diante das lojas, os olhos e os ouvidos cravados nos enormes alto-falantes. Desceu a avenida Rio Branco e entrou num ônibus na altura do Municipal. Um cartaz colado perto da bilheteria anunciava Tchaikovski pela Orquestra Sinfônica Brasileira. Após ganhar a Glória, praia do Flamengo e a de Botafogo, o ônibus seguia pela São Clemente, Jardim Botânico, Jóquei. Por entre os prédios, avistavam-se, no alto do morro, os barracões de compensado — alguns de tijolos sem reboco — da favela Santa Marta. (Lázaro comparou depois, com o companheiro catarinense, os contrastes urbanos do Rio com os contrastes das nações: "Questão de escala", diria.) A mancha verde tropical diante do Jóquei, de onde saía um hálito refrescante em plena cidade, recordava, tenuemente, a floresta de Senlis. No Jardim Botânico não havia, com certeza, *Tonton la frite-merguez*, nem neve, nem corça ferida. As palmeiras lembravam as de Corumbá, só mais altas.

A pizzaria estava quase vazia. Sentou. Os alto-falantes pendurados nos cantos das paredes roufenhavam Roberto Carlos. Um cliente reclamava da qualidade do som. Devia esperar duas moças. Lázaro usava uma fita com as cores da bandeira americana amarrando o rabo de cavalo. Por razões de segurança, não havia descrição das companheiras que entrariam em contato com ele na pizzaria. As duas iam confiar-lhe documentos sobre a tortura no Brasil que deveriam ser levados para a Europa.

O negro de bandeira ianque nos cabelos pediu risoto iugoslavo e esperava há mais de meia hora quando ouviu: "Oi, como vai o Maurício?" Era a senha.

Uma tinha cara de freira e a outra, mais velha, cabelos grisalhos e oleosos. Cumprimentaram-se como antigos amigos de ginásio. Elas pediram água mineral sem gás. Pareciam extremamente tagarelas. Começaram a falar do tempo, das enchentes do Sul, do imposto de renda. "No Brasil só quem paga são os assalariados, os industriais e comerciantes, médios ou grandes, sem falar das grandes empresas, não pagam nada. Como a Receita Federal não consegue, por incompetência ou cumplicidade, analisar os casos pontualmente, cria-se uma lei draconiana que só será cumprida pelos bagrinhos, os outros fingirão. Quem já sonegava continuará sonegando, quem não sonegava continuará a não sonegar, só que com mil papéis pra preencher e horas de sono a menos; a mais, mesmo, só úlcera duodenal." Vendo o olhar arregalado de Lázaro, a do cabelo oleoso arrematou dizendo que esse tipo de procedimento do governo acontecia em todas as áreas, e a classe média tomava porrada. Lázaro só mexia com a cabeça de um lado para o outro como a dizer não, não, não! As duas deram algumas informações sobre os próximos passos da ASL (que chamavam de Associação Literária) em São Paulo (provavelmente as menos importantes), contaram que Gonzaguinha, Milton Nascimento e João Bosco tinham se apresentado na USP. Avaliaram que o Conselho de Centros Acadêmicos da USP vinha tendo uma atuação política importante, que os órgãos de segurança haviam matado o estudante Alexandre Vannuchi Leme, que os bispos de Sorocaba e de São Paulo celebraram missa para o estudante onde compareceram mais de cinco mil pessoas, voltaram a falar de música — uma, em 68, tinha preferido *Caminhando,* a outra *Sabiá* —, fizeram avaliações sobre a fragilidade política do governo.

Um envelope contendo mais ou menos cinquenta páginas datilografadas foi posto discretamente sobre a mesa. As duas companheiras, do jeito que vieram, como úlcera duodenal, se despediram e se retiraram. Manifestamente nada sabiam sobre o assalto à Caixa Econômica de Bonsucesso.

O texto, que Lázaro leu depois, relatava as atrocidades, torturas e desmandos que as forças da repressão cometiam no país. Os dados eram impressionantes. A tortura comia solta, morriam ou ficavam aleijados estudantes, artistas, músicos, jornalistas, professores, políticos. A censura tirava o país do cenário cultural do mundo. Do ensino secundário retiravam-se os grandes temas de reflexão da humanidade. Qual o futuro de um país assim? Que tipo de gente sairia dos bancos escolares? Os artistas inventavam estratégias para que suas obras não fossem percebidas pelo oficial de censura de plantão.

Da pizzaria, Lázaro foi caminhando até a calçada à beira da praia. O sol se punha, alaranjado, atrás do Dois Irmãos. Alguns raios ainda alisavam as pedras do Arpoador, na outra extremidade. "Todo mundo gosta dessa vista. Lá do Arpoador é ainda mais bonita. Tem gente que vem comer milho cozido aqui sempre nessa hora só pra ficar admirando", declarou a vendedora do trailer olhando Lázaro por trás de cachos de cocos verdes, cartazes de sorvetes, pacotes de salgadinhos e garrafas plásticas de água mineral. O cliente contemplativo se sentiu na obrigação de consumir algo. Concordou explicitamente com a observação da moça do trailer e acabou comprando paçoquinha. Valia como sobremesa. Atravessou a Delfim Moreira em direção à Praça Antero de Quental quando as praias do Leblon e de Ipanema já se tornavam massas negras e as janelas do Vidigal se acendiam.

Lázaro voltou para Botafogo no ônibus 434. Passou por Ipanema, num cinema da Praça Nossa Senhora da Paz se realizava um festival de cinema nacional, *Os condenados, Os homens que eu tive,* descer do ônibus, não descer, deixar tudo pra lá, ir ao cinema como qualquer um, o ônibus já ia pela General Osório, ainda dá tempo de voltar a pé, dá, não dá, o ônibus continuando, freia, corre, freia, já parado no sinal com a Nossa Senhora de Copacabana, passa ao verde, a curva, a polícia à esquerda, à direita o teatro de travestis, o Brasil de Ana Letícia, alto quadro administrativo do governo, dirige a educação de dia e solta a franga à noite, adeus cinema!

A avenida Nossa Senhora de Copacabana engarrafada. Os passageiros do ônibus indiferentes aos sacolejos, à brutalidade na transmissão das marchas, feita aos socos pelo motorista numa alavanca ensebada, ao ruído ensurdecedor do motor. A senhora do lado puxando conversa. Muitos rindo. Uma morena, cabelos longos encaracolados, cílios imensos, um sorriso alvo e franco, quase comia o militante da ASL com os olhos. Falava-se da construção do metrô. Um dia ia ficar pronto. O tempo de transporte de casa ao trabalho ia diminuir. Tudo engraçado. Todos pareciam se conhecer. Até a violência urbana, que acabava de ser duramente julgada na descrição de um assalto praticado, há alguns meses, nessa mesma linha de ônibus, tinha um *happy end* narrativo. Lázaro ouvia tudo com atenção e sorria muito. Nada a ver com a França. Segurava com cuidado o envelope. Dentro daquele universo de papel, resumido em cinquenta páginas, ia outro país.

Nessa terça, à noite, Carmem Lúcia e Roberto não estavam. Lázaro relatou a Fábio, com detalhes, os encontros do dia. Entregou-lhe o envelope. Os dois nos colchonetes, o quarto meio escuro, a conversa frouxa.

— O que fica meio paradoxal pra nós é que há anos a gente avalia ação armada como um erro e acaba fazendo a mesma coisa; assalto a banco é ação armada!

Lázaro disse a frase sem esperar resposta, era como um simples pensamento que fora inadvertidamente verbalizado.

— A nossa é uma ação pragmática, Lázaro, é uma ação pragmática, só isso.

— Mas acaba sendo guerrilha. E você não pode esquecer, Fábio, que a repressão no Uruguai foi consequência da aventura pequeno-burguesa dos Tupamaros.

— E da aliança da burguesia com o PCU formando a Frente Amplia — completou Fábio.

— A greve geral do ano passado no Uruguai, no entanto, tinha criado condições razoáveis pra vitória de uma democracia. Parece que eu já tou falando de novo como um verdadeiro militante da ASL, Fábio. Depois da expropriação eu juro que vou torcer pra instalação de um regime democrático no Brasil. Só que eu estarei dentro de um partido tipo, justamente, Frente Amplia. Ou então vou assistir tudo da arquibancada do Maracanã. Darei um grande *adieu* pra ASL, pode crer, mano, pode crer. Vou comprar uma loja no Mercado Modelo, passar as noites na lagoa do Abaeté comendo camarão frito, ver capoeira no Pelô. *Salut.* Mas, tudo bem, fica frio, vou tocar esse finalzinho do meu livro de vida ainda como militante da ASL.

— Lázaro, já que estamos no nosso país, esquece a França...

— Já esqueci, sou Brasil desde criancinha, mano!

— Eu sei, eu sei, mas esquece mesmo a França, com tudo que aconteceu e me responde, não tenha medo, talvez estejamos mortos e enterrados em dois dias, me responde: enquanto a Muriel estava comigo, vocês chegaram a estar juntos?

–- Você quer dizer o quê?

— Isso mesmo, se vocês foderam quando a Muriel vivia comigo!

— Não, Fábio, nunca!

— Pois eu não acredito, meu chapa!

— Então não acredita, porra! Em Paris vou te apresentar à minha amiga psicanalista!

— Ela não me interessa.

— Então não te interessa!, e eu é que te pergunto agora, ô comandante, bateu deprê? Tá no buraco? Você é o nosso *Poinçonneur des Lilàs.*

Fábio fechou os olhos. Arrependimento, arrependimento das reações descontroladas diante do afago caloroso da mãe no irmão menor; da saída raivosa e abrupta no meio do almoço na casa da tia Zezé; do empurrão e do tapa no primo Joaquim após a derrota numa partida de botão. Arrependimentos. A noite interminável, o vento sul, o latido do Rex, a maresia, o mar deve estar agora acinzentado, o sono pesado do Zequinha na cama ao lado, a Anelise será que também está com medo lá no Estreito? Será que lá o vento também está batendo as janelas assim? A sombra da goiabeira embaralhada no chão do quarto, o Garibaldi e a Anita vão cair, o vento vai levá-los, o pirão de peixe com alfavaca pesando no estômago, o cheiro de madeira, o olhar já severo do santo ainda inacabado, os cabelos de Elke transformados numa pasta disforme, o afago profundo e macio da mão de Glorinha no seu rosto.

33

QUARTA DE MANHÃ CEDINHO, Fábio andou pelas ruas do bairro. Desembocou na praia de Botafogo, passou pela Fundação Getúlio Vargas, o Pão de Açúcar à direita, começando a ser roçado pelo sol, os barcos imóveis na enseada de Botafogo, entrou na Rui Barbosa, o Pão de Açúcar ainda mais perto, o vento no rosto, retornou pela avenida Oswaldo Cruz. Numa praça no final da Rui Barbosa crianças empinavam pipas, babás, impecavelmente vestidas de branco, empurravam carrinhos de bebê, escolares uniformizados passavam pelas calçadas, rindo, se empurrando, falando alto.

Os gorjeios agora eram de sanhaços e sabiás. Gritos de bem-te-vis nas amendoeiras das ruas. Canto dos curiós, canários-da-terra e coleiros que os porteiros dos prédios mantinham em gaiolas penduradas nos oitis e sibipirunas. Melodias conhecidas que se misturavam ao sibilo agudo do rebolo do afiador de facas, aos gritos de picolé, mate e limão, ao som fanhoso do alto-falante do vendedor de pamonha. A música de fundo desafinada ficava por conta do sempiterno ruído dos motores dos ônibus. A familiaridade ainda se confirmava pelo ligeiro odor no ar de alimento se deteriorando, de mofo nas gavetas, ou pelo perfume das frutas maduras, das flores, da maresia; pelo cheiro do refogado saindo, já de manhã, do basculante das cozinhas. Fábio chegou ao sobrado às nove horas. Lázaro acabava de acordar.

— Andei por aí, companheiro, senti cheiro de Brasil. As pessoas parecem contentes! Como pode ser? Os militares enfiando a porrada e negada toda rindo, já tomando cerveja de manhã e arrotando. Será que a gente sempre esteve numa furada?

— Você está certo, Fábio, aqui no Brasil é muito melhor. Vou largar tudo e me mandar pra Bahia! — asseverou Lázaro, em tom de brincadeira.

— Agora não dá mais, companheiro. E, por favor, não dá muita bola pros inquilinos debaixo e não vai lá de jeito nenhum. A velha já está querendo falar comigo sobre o aluguel, quer que a gente se junte pra forçar o advogado a baixar o preço. Amanhã, não esquece, Caixa Econômica, Bonsucesso. Está tudo acertado. Revólver 38, de preferência só pra assustar. Vem gente do povo junto, gente com um pé na revolução.

— Do povo como, Fábio, trabalhador, mendigo ou bandido?

— Gente com discurso social, são a força popular de apoio. Já contatada. Vem do morro do Adeus, favela de Ramos. Um líder de lá, o Barata, esteve preso na ilha Grande com companheiros da ASL. Um ano e meio juntos. Entendeu a luta política e hoje faz parte da área de influência da ASL. Eu também só soube disso há pouco, pelo Roberto.

— Pô, essa eu não sabia. A ASL está ganhando adeptos assim tão rapidamente?

— Ainda não é bem isso. Tem o problema do dinheiro, mas Barata, pelo que consta, está iniciando uma política social na favela. A ASL está querendo se implantar lá no Adeus. Mas não pensa mais nisso, te concentra no que a gente vai fazer.

— Ô Barriga-verde, você mudou, parece outro. Qual a transa? E a Muriel?

— Não fode, porra! A gente está aqui por outra razão.

— Eu sei, bicho, não tem grilo. Mas você está falando curto, não faz frase direito, só sim, não, amanhã, Caixa, revólver. Parece um telégrafo. E o prazer?

— Amanhã, Lázaro. Amanhã a gente se encontra na São José, treze horas. De lá vamos separados. Direção Praça das Nações. Três e meia da tarde. Me procura na entrada da passarela que atravessa os trilhos do trem.

— E não te vejo mais essa noite, ô Catarina?

— Vê, mas já estou te instruindo.

Lázaro saiu de casa por volta de onze da manhã em direção à farmácia da rua da Passagem, cruzou com a inquilina do segundo quarto, ouviu "oi, pão". Perambulou pelo Rio inteiro naquela tarde, véspera da expropriação bancária, "vou viver bem essa porra desse meu Brasilzinho querido". As obras do metrô empoeiravam a cidade. O ruído das britadeiras atravessava, por vezes, o samba. Um buraco ia se abrindo sob os pés do militante da ASL. Nas paredes, junto com a palavra "fome" e "Brasil socialista", ainda se lia "Todos juntos, pra frente Brasil", da copa do mundo de futebol realizada três anos antes. Andou pelo Centro, comprou Drummond — *A rosa do povo* —, comeu sardinha frita perto da rua do Acre, moela ao molho na Evaristo da Veiga, tomou cerveja na rua do Resende e na Mem de Sá e chope com iscas de fígado à lisboeta, num bar da Cinelândia. A barriga cheia de Brasil! Impressionava o número de agências bancárias em toda a extensão da avenida Rio Branco. Idem a quantidade de carros e ônibus. A densidade e altura dos prédios. A massa humana se fundindo nos grandes cruzamentos da avenida.

À noite, algo discretamente, passou uma hora no quarto da inquilina debaixo. "Se os grandes pecados atazanam e torturam — ainda bem! — a existência da gente, os pecadilhos são sabores que justificam a vida. Pra que assaltar banco, pô?" Lázaro sussurrou quando voltou ao quarto escuro. Fábio não o ouviu, ressonava.

Na manhã seguinte, numa lanchonete de Botafogo, o baiano tomou café com leite no copo — mais leite do que café, metade açúcar, comeu pão com manteiga. Limpou a boca com guardanapo cinza de papel grosseiro. Do rádio do botequim vinha ritmo de samba. Fascinava-o o contato físico constante entre as pessoas. Abraços apertados, batidinhas nas costas, mãos alisando ombros, dedos roçando nucas, braços estreitando cinturas. Risos, sorrisos e gargalhadas por nada e a toda hora. Um pega-pega geral. Esquecera esses costumes.

Fábio acordou muito cedo, comprou todos os jornais — o ex-presidente João Goulart estava na França, ia se submeter a exames médicos em Lyon; EUA e Egito procuravam reatar relações diplomáticas; uma avó fora presa em flagrante, no Rio, comprando drogas para o neto.

Tivera pesadelos. Acordava de hora em hora. Tinha que falar com a família. Daria sorte. Foi à telefônica da Nossa Senhora de Copacabana, telefonou para Florianópolis dizendo que telefonava de Paris / O pai está na rinha de briga de galo, o José na Universidade, o Altair na loja. Meu filho, você nunca mais vem ver a tua mãe? Já fiz promessa e tudo. Vem, meu filho, vem! Aqui você vai ser mais feliz. Tem um cantinho aqui pra fazer família. / Vou, mãe, vou. Também amo vocês. Muito. Um dia tudo vai ser melhor pra nós todos. / Você ainda fica nervoso, meu filho? Toma maracujá, acalma, tem que se precaver e cuidar com tudo, galinha cega, poleiro cedo. / Mas mãe, estou bem. / Não parece, meu filho, não parece.

Fábio desligou. Achou que tinha passado uma impressão ruim para a mãe. Voltou para Botafogo e jogou-se na cama do sobrado da Arnaldo Quintela. Já eram onze horas. Não, tinha que telefonar de novo; devia voltar logo (às treze horas era o encontro na São José) para a telefônica da Nossa Senhora de Copacabana. Tomou um ônibus em frente ao Canecão, ia se expor novamente, um ex-colega catarinense de faculdade poderia encontrá-lo na rua, alguns tinham se mudado para o Rio para fazer pós-graduação. Tremia quando, liberado pela telefonista, discou o código de Florianópolis na cabine. Dava ocupado. Largar essa vida, voltar a ver, com o Altair, o Avaí jogar contra o Figueirense, contar pra mãe as derrotas amorosas com Muriel, será que acharia outra em Florianópolis pra casar? Dizer tudo sobre tudo pra família, ser criança de novo. Voltar às pandorgas, às pescarias com os primos, ao camarão frito na lagoa da Conceição, ao boi de mamão, brincar de cabra cega em volta da figueira da Praça XV. A linha continuava em comunicação. Voltar pra vida! O alô docemente cantado interrompeu o pensamento, vinha acompanhado de um chiado como se algo não permitisse que ele, Fábio, se apresentasse por inteiro; o fone, tipo modernoso, lembrava um cotovelo. E aquela voz querida que começou a falar sem parar. / De novo Fábio? O que foi? / Nada, caiu /Pai e José foram caçar perto de Lajes no fim de semana passado, com uma turma grande, foram em dois jipes, com o dono da loja do Altair. Serra do Rastro, muita lama, lá de cima é lindo, vão asfaltar toda a estrada, trouxeram quatro pintassilgos do pinheiro numa gaiola. Mataram quatro perdizes e três perdigões, é proibido, não gosto muito, mas fazer o quê, o Altair adora, e aqui dentro de casa mando eu, mas fora, não dá, né? Vieram uns homens da Polícia Federal aqui, queriam saber algumas coisas sobre um Fábio, disse que estava em Paris e que não te via há mais de três anos, não dei o endereço, falei que não sabia, não sei por que não dei, disseram que não era nada de importante, mas vão voltar, o que será, Fábio? O azulão e o curió de José estão cantando que é uma beleza, mas agora que ele está na faculdade eu é que tenho que tratar dos bichos. A filha da Ju casou, está grávida; o rapaz é um amor, moram em Camboriú. A Amelinha também vai casar, está uma mulher e tanto, sempre pergunta pelo Fabinho, no final de junho três operários morreram num acidente na construção da ponte nova. E aí meu filho, quando você volta? / Volto logo, mãe, é porque há pouco a ligação foi cortada. Anelise casou, mãe? /, a pergunta não chegou a sair. Ligou ainda para Paris, sobrava-lhe dinheiro, tinha que passar pela telefonista *Sylvie? Oui, non, Fabiô, Muriel n'est pas là,* no argentino ninguém atendia. O sorriso largo da Anelise na festa do Divino em Santo Amaro da Imperatriz, o seu olhar faceiro, a sensação do consentimento do beijo mais tarde, os olhos nas bocas, a Imperatriz se vergando ao amor cortês e aos desejos lascivos do imaculado pretendente. Você tem que aparecer, Muriel, tem que aparecer, e agora a polícia foi ver os meus pais, você tem que estar pensando em mim em algum lugar. Você não pode me escorraçar assim, feito um cachorro leproso.

34

A REUNIÃO NA SÃO JOSÉ foi curta e precisa. Só uma companheira não viera, mas estaria na frente da Caixa dentro de algumas horas. Dois companheiros ficariam de prontidão na Arnaldo Quintela, quatro iriam para Bonsucesso. O companheiro que Lázaro encontrara na Praça Tiradentes se deslocaria para a Arnaldo Quintela.

Lázaro e Fábio foram caminhando lentamente da passarela do trem, perto da Praça das Nações, em direção à Caixa Econômica. (Todos iam se encontrar quase em frente ao estabelecimento bancário às dez para as quatro.) Não foi difícil para Lázaro reconhecer, de longe, a companheira de cabelos oleosos da pizzaria do Leblon (a que tinha preferido *Caminhando)*. Viva a organização da ASL, disse a Fábio, que não respondeu. Três homens também se aproximaram ao mesmo tempo, um deles quase um menino.

Eram dezesseis horas (ligeiro atraso). Dia de pagamento de uma grande firma. A cinco metros da entrada da Caixa, depois de um estalo com os dedos feito por Roberto, os sete enfiaram máscaras e meias e correram para o banco, armas na mão. Alguns transeuntes puderam ver o rosto dos assaltantes enfiando as máscaras e as meias mas, conforme explicado pelo pessoal do Adeus mais tarde, só uns poucos serão capazes de lembrar da cara dos ladrões. "É um assalto, todo mundo no chão", gritou o rapaz forte, meio alourado, do grupo de apoio. Todos obedeceram em silêncio, os funcionários pareciam congelados.

O vigia da Caixa Econômica de Bonsucesso fingiu reagir e foi desarmado, como combinado; um dos funcionários do guichê também esboçou uma reação e foi seriamente ameaçado por um dos assaltantes. Tudo como planejado antes com o próprio. Um do grupo popular de apoio (devia ser o menino), porém, exagerou e dava gritinhos. Alguns clientes que estavam no chão começaram a se levantar. O assalto não parecia sério. Uma rajada de metralhadora acalmou todo mundo. De certa maneira. Mas criou tensão. Lázaro e Fábio usavam o gorro tipo esqui que se usava em Courchevel. A experiência de Lázaro em Feira de Santana tinha sido de cara limpa. Ainda não conhecia neve! Fábio idem. Os outros dois da Aliança Socialista Libertadora levavam também um gorro de lã só com buracos para os olhos. Os três outros do apoio usavam meias de mulher na cara. Ficavam horríveis.

Fábio, com o 38 cromado na mão, olhava sem parar para Lázaro, que parecia não se dar conta do que estava fazendo. Uma menina de cerca de dez anos chorava, agarrada à saia de quem era, provavelmente, sua avó. Lázaro aproximou-se — a mulher, já idosa, lívida, repetia "pelo amor de Nossa Senhora Santificada e Jesus Nosso Cristo, não toca na garota" —, tirou do bolso, com a mão esquerda, uma bala de hortelã (pelo papel verde) e estendeu-a à menina. Na direita segurava o revólver apontado para os guichês onde estavam os três caixas. A menina demorou a aceitar mas acabou por fazê-lo. Lázaro ainda despenteou-lhe afetuosamente os cabelos e disse "Está tudo tranquilo, minha senhora, um *Brésil* mais justo pra menina vem aí." Tinha pronunciado "*Brésil*".

"Eu atirei de pertinho no cara na Figueiredo Magalhães, eu o matei, sem sombra de dúvida; o Lázaro atirou de longe com a metralhadora, junto com outro companheiro. Pode não ter sido ele, nunca me pareceu muito culpado. Eu sou assassino, porra, só eu!" Fábio mudou de pensamento porque um homem passou a olhar na sua direção, "o puto deve estar armado". Fábio tremia, o lábio e os dentes não paravam no lugar. Era um mulato forte, cabelo curto, tinha cara de ser soldado ou policial militar de folga. O homem continuou a olhá-lo, estava mais perto de Lázaro, que não parecia vê-lo. O cliente suspeito levou a mão lentamente ao bolso. Fábio gritou para Lázaro "Irmão, ele vai me matar, está armado, cuidado, atira nele!", já quase chorando. Lázaro aproximou-se do rapaz — os caixas que estavam depositando o dinheiro nas sacolas de plástico, tipo bolsa de academia de ginástica, e o gerente que entregava os pacotes de cédulas ao militante da ASL pararam, amedrontados — e fez sinal pedindo calma a Fábio. Tocou nos dois bolsos da calça, nas pernas e na cintura do cliente suspeito, que se mantinha deitado e calmo. Fábio conseguiu ouvir "Eu não tenho nada, moço, sou testemunha de Jeová, a violência é a arma do diabo". Lázaro voltou a fazer sinal ao amigo catarinense para que mantivesse a calma. Todos os demais companheiros de operação olhavam para Fábio. Adivinhava-se o ar severo e censurador por trás das máscaras. O barriga-verde da ASL não continha as lágrimas. Chorava baixinho. Os clientes no chão olhavam-no. Um senhor de cabelos brancos dirigiu a palavra a Lázaro — o baiano era o mais alto e o mais decidido, parecia o comandante das operações.

"Nós não estamos fazendo nada, ninguém está reagindo, o colega de vocês está nervoso." Lázaro não respondeu. Fábio tremia todo; pensou em Muriel, na mãe, no pai, nos irmãos, no medo e no São Judas Tadeu de sua infância, no pai manejando com destreza o escopo, a madeira se submetendo ao zigue-zague e contornos criados pelo ferro afiado.

Lázaro pressentiu o perigo, aproximou-se do amigo e sussurrou: "Porra, cagão, fica calmo, está dando tudo certo, cacete. Você é um fraco mesmo, nunca mais faço nada com você." Nessa hora já saíam os militantes da ASL com as sacolas e os de apoio faziam sinal para que os dois outros também saíssem. Fábio não se mexia; Lázaro empurrou-o para a saída, alguns clientes no chão começaram a levantar. O chefe do pessoal do Adeus apontou a arma, todos se abaixaram de novo. Os grupos entraram nos carros. Antes da arrancada alguém da ASL (Roberto, provavelmente) gritou: "Esse dinheiro não é de vocês, não foi roubado de vocês. O banco vai devolver o dinheiro que pertence aos trabalhadores. Essa expropriação é contra o governo militar corrupto e torturador. Viva a revolução, abaixo a ditadura militar."

35

O ASSALTO FOI BEM MAIS FÁCIL que o de Copacabana e o de Feira de Santana. A fuga também foi fácil. Foram usados um Corcel branco e um Aero-Willys vinho. Os dois carros tinham sido roubados três dias antes na avenida Vinte e Oito de Setembro, em Vila Isabel (Noel Rosa haveria de perdoar). Os veículos estavam estacionados logo na saída da Caixa Econômica, numa posição estratégica, cada um com um motorista, o motor ligado.

O pessoal da ASL fugiu no Corcel com o dinheiro e os de apoio no Aero-Willys. Os dois grupos se encontrariam no dia seguinte na avenida Brasil, na entrada da Rio-Petrópolis, em frente a um grande supermercado, para a divisão do dinheiro. Não fora a rajada de metralhadora, que quebrou alguns vidros, e o encagaçamento — como disse o menino de Ramos — de Fábio, a operação tinha sido uma brincadeira de colégio. A fuga foi um passeio. Praça das Nações, cantada de pneus, primeira à direita, retirada das máscaras, depois primeira à esquerda, já em velocidade normal para não chamar a atenção, primeira à direita de novo e em frente, direto, até a avenida Brasil, pista de descida, direção Caju. Retorno sob o viaduto já perto da rodoviária, primeira à direita e troca de carro em frente ao cemitério.

O motorista, também do Adeus, estacionou o Corcel na calçada e, tranquilamente, desapareceu a pé. Transferência para a Vemaguete azul, com Carmem Lúcia ao volante. Avenida Brasil sentido Norte, retornar, algumas centenas de metros adiante, no viaduto de Benfica, e tocar para a Arnaldo Quintela, em Botafogo. O Aero-Willys do pessoal do morro do Adeus tinha tomado, já na saída da Caixa Econômica, outra direção.

Os quatro da Aliança Socialista Libertadora desceram no início da rua da Passagem e Carmem Lúcia seguiu sozinha ao volante, com as quatro sacolas de dinheiro, até o sobrado. A essa hora a polícia devia estar indo em peso no sentido da Baixada Fluminense.

No dia seguinte a Secretaria de Segurança fez várias declarações nos jornais. A Caixa Econômica da Praça das Nações, em Bonsucesso, tinha sido assaltada na véspera por quadrilhas da área da Central do Brasil e do morro da Providência. O dinheiro roubado não fora encontrado.

Foram levados o equivalente a cento e oitenta mil dólares. A Aliança Socialista Libertadora ficou com cento e trinta, os outros cinquenta foram para a força popular de apoio. (Dizia-se que as forças da repressão também dispunham de um esquema semelhante, só que meio tipo força popular de extermínio aos comunistas. Assaltos a bancos também aconteciam no mesmo esquema, mas, ao contrário, o dinheiro ia só para algumas autoridades corruptas e seus acólitos. Pelo menos é o que se dizia. Isso aliviava a culpa e a impressão dos militantes de terem se transformado em bandidos.) Cem mil dólares iam facilitar a libertação de mais de quarenta companheiros detidos nas prisões de São Paulo, Rio de Janeiro, Recife e Porto Alegre. Fábio e Lázaro levariam quinze mil dólares cada um para a cobertura dos companheiros exilados na Europa.

36

NA SEXTA-FEIRA SEGUINTE, à tarde, os dois companheiros parisienses saíram de Botafogo. Direção agência da Sabena na rua Buenos Aires, no Centro. Precisavam confirmar e retirar as passagens de volta Lima-Paris. Roberto e Carmem Lúcia já haviam sumido de madrugada. Iam efetuar a divisão do dinheiro na entrada da Rio-Petrópolis. A chave da Vemaguete estava sobre a mesa. Talvez tenham usado outro carro da ASL. Os dois militantes parisienses estavam com a sua parte em dólares, passada diretamente por Carmem Lúcia que, seguramente, já dispunha, antes do assalto, da quantia em moeda americana.

Fábio dirigia o carro. Algo impedia que comentassem o assalto da véspera. Recato, pudor, vergonha, respeito, provavelmente por aí. Como se aquele dia não houvesse existido. *Off the record*. Não entraria nas memórias de cada um caso se escrevesse um romance sobre as suas vidas. Mas conversaram política, como nos velhos tempos.

— As pessoas na rua parecem sintonizadas em outra onda, Lázaro.

— Acho que os horrores do stalinismo contribuíram pra afastar o povo da luta por uma sociedade mais igualitária. A esquerda deu à direita, de bandeja, argumentos para a crítica. Esse mesmo povo, incluída a classe média, tem que voltar e reconstruir uma sociedade socialista e democrática — respondeu o baiano.

— Exatamente — confirmou Fábio.

No sinal da esquina da praia do Flamengo com Silveira Martins havia um pequeno acidente. Um táxi esbarrara na traseira de uma Kombi. A Vemaguete ficou retida, por alguns minutos, ao lado dos dois motoristas, o suficiente para que se ouvissem os palavrões. Um dos homens se referia a compra de carteira, "só pode ser!, vai pra puta que o pariu", o outro se justificava com problemas no freio. O da Kombi era o mais furioso. O do táxi tinha sotaque português. O guarda apitou ordenando que Fábio avançasse. Definitivamente, os dois guerrilheiros de ocasião eram parte integrante da cidade do Rio de Janeiro.

Lázaro continuou o diálogo.

— Os desmandos, a arrogância e o despotismo da política stalinista têm que ser denunciados. O perigo é, com isso, estar dando combustível de graça para os lança-chamas da direita e dos fascistas. Mas não tem jeito. Não à barbárie capitalista, não à barbárie stalinista e não ao radicalismo pequeno-burguês. Uma sociedade mais humana e justa, só isso!

— Entrar no PTU, talvez seja melhor, Lázaro.

— Mas o PTU é rachado, mano, é rachado. E o PTU está precisando fazer uma autocrítica.

— Fazer autocrítica não é fácil, mexe com as tripas de qualquer um. A gente tem a impressão de estar ferindo e desrespeitando a honra e a alma dos que morreram pela causa. Eles não têm mais tempo para reavaliar as antigas posições.

— Ao contrário, Fábio, ao contrário. A gente vai se aperfeiçoando graças à história deles. É até uma maneira de homenagear os que merecem ser homenageados. Mas alguns, sinceramente, não merecem homenagens, Fábio, não merecem.

Estacionaram o carro perto do restaurante Albamar; no dia seguinte o deixariam na rua Farani, em Botafogo. Alguém da ASL, não sabiam quem, vinha buscá-lo.

Caminharam da Praça XV, pela rua da Assembleia, até a Rio Branco em direção à Buenos Aires. Lázaro levava os seus quinze mil dólares, mais os quinze mil de Fábio, na cintura, num cinto com forro falso.

O movimento de pedestres na Buenos Aires era intenso. Procuravam o número vinte e um. No momento em que tentavam decifrar a numeração da rua — os decibéis jorrando das dezenas de lojas de discos colaboravam para nublar olhos e ouvidos —, ouviram-se gritos. Pessoas saíam rapidamente de uma agência de câmbio. Alguns corriam. Era um assalto. A polícia chegou logo. Entrou na agência e, um minuto depois, três policiais, com revólver na mão, saíram e agarraram Lázaro violentamente. Fábio só teve tempo de dizer baixinho: "Não fala nada!" "O que que eu fiz, seu polícia?", suplicou Lázaro, surpreso e apavorado. Fábio também foi interpelado e convidado a entrar na joaninha da Polícia Militar. Junto foi um outro rapaz, que estava branco como leite. "Por que estão me levando? É um engano, é um engano", repetia Fábio. Os dois policiais militares não respondiam. Numa Kombi foram dois policiais fardados, Lázaro e mais dois policiais civis. Já na delegacia da rua Santa Luzia, Fábio viu o delegado, que falava com um jornalista, apontar o dedo na sua direção, com um sorriso. O que ouviu, em seguida, o aterrorizou. "Foi esse rapaz aí que possibilitou a prisão do meliante. Ele fez sinal com o nariz apontando na direção do negro." Fábio gelou. O rapaz que veio no fusquinha da PM confirmou: "Eu vi quando ele apontou o nariz em direção ao crioulo". "Eu não fiz isso, seu delegado, não fui eu", Fábio respondeu prontamente. "Como não! Não tenha medo, esses assaltantes são covardes, não vai acontecer nada com o senhor depois. A gente agradece. O negão está lá dentro, na cela. Está fodido, levava quinze mil dólares roubados num cinto falso. Daqui vai pra Praça Mauá." A pergunta "e os outros quinze mil, com quem ficaram?", não saiu da garganta.

Fábio (Maurício Rogado dos Teles) deu um endereço de São Paulo, estava no Rio de Janeiro por dois dias, tinha vindo ver uma exposição no Museu de Belas-Artes. No Rio, estava no Hotel Novo Mundo. O rádio de pilha da delegacia transmitia um debate sobre as vantagens e desvantagens da fusão do estado da Guanabara com o do Rio de Janeiro.

Da Santa Luzia, já liberado, Fábio entrou num táxi e correu para o hotel da praia do Flamengo, o coração batendo, com ânsia de vômito. Preencheu a ficha com um endereço falso de São Paulo, subiu ao quarto e jogou-se na cama. "Porra, é melhor eu ir pra outro lugar ou ficar aqui mesmo? Aqui eu vou acabar preso! Eu mesmo dei esse endereço! Mas eu tenho que salvar o Lázaro, eu tenho que ficar em contato com a polícia. Roberto e Carmem Lúcia, onde estarão? Iam voltar pra Belo Horizonte no dia seguinte. A essa hora já foram! Eu não fiz nada com meu nariz, não apontei na direção do Lázaro! Não pode ser!, o delegado e aquele cara estão loucos! Muriel!, onde você está?"

As imagens corriam-lhe pelos olhos. A *Fuga do Egito* da catedral da capital catarinense se moldava à porta do quarto do hotel, os motores roncavam na praia do Flamengo. Um filme de terror e de paixão foi projetado na parede branca do Novo Mundo. As legendas do filme iam sendo lidas rapidamente, misturavam francês e português. /Fui pescar com amigos na Costa da Lagoa, ainda só se chega lá de barco, você se lembra? Já fomos uma vez juntos, nem parece que é tão perto de Florianópolis, o pessoal lá vive isolado do mundo. Pai e mãe mandam beijos. José está ficando parecido contigo, Fábio. Não tem mais medo de boitatá. Porra, Anelise tinha medo de boitatá, mataram a Elke, os filhos da puta, Glorinha foi estuprada com cabo de vassoura. / Muriel, onde você está? / Quando José ainda estava no colégio proclamava a República Juliana trepado na goiabeira da frente da casa. Ela virava o *Seival* e ele o Garibaldi. Agora, na faculdade, diz que o marechal Floriano e o Moreira César eram assassinos e que Florianópolis devia se chamar de novo Desterro. Vai acampar sempre com os amigos na fortaleza de Anhatomirim. / Muriel, você é *à moi* pra sempre, é o nosso destino. / Com aqueles amigos doidos, o Sombra, o Canjica e o Cuca, José sonha em refazer o caminho do Peabiru até Assunção (a mãe disse que mata ele!) e defende a reserva dos índios de Ibirama contra os madeireiros. / Muriel, eu matei um homem mas foi sem querer, e era por uma causa justa. / Jura que ainda tem índios selvagens aqui na serra do Taboleiro. Quer ir contactá-los. A mãe quase morre — dou-te uma tapada nas ventas, Zequinha!

— *Et toi,* Muriel?

— *Moi, quoi?*

— Você também brincava quando era criança?

— Claro, Fábio, na Auvergne a gente também se divertia; mais no verão.

— Então conta, Muriel, o que que vocês faziam?

— A gente andava de bicicleta, pescava no ribeirão, subia o Mont Gerbier de Jonc nas férias, ou o Puy Mary, perto de Salers, nos fins de semana, ajudava a arrancar gencianas pra fazer *salers* com as raízes, enfim, coisas que qualquer criança faz em qualquer lugar do mundo. Mas já te disse, Fábio, não gosto muito de falar sobre o meu passado.

— Por que você não queria falar sobre esse passado, Muriel? A gente podia se ajudar, eu no teu passado, você no meu presente. Queria criar um mundo só nosso, virgem, imaculado, criarmos pontos de referência que tivéssemos orgulho de respeitar. Soube, pelo Lázaro, que o dinheiro que você recebeu em Marselha era uma pequena herança de família que você estava pra receber há muito tempo, desculpa, talvez me tenha precipitado nas avaliações. Te amo, Muriel, te amo, você entende? Você nunca vai poder se separar de mim! Não sou assassino, Muriel, entende? Não sou!

Muriel jogava todo o cabelo para a frente e, curvada, punha-se a escová-lo. As pontas alisavam suavemente, por sobre a moqueta cinza do quarto do hotel do Flamengo, o tapete vinho com losangos negros da sala do apartamento da Place d'Italie. O rosto de anjo diabólico da Iracema gaulesa desaparecia, seus cabelos misturavam-se a cachos louros flutuando numa poça de sangue.

Fábio chorava e falava com as imagens da parede. Da praia do Flamengo começavam a chegar, cada vez mais intensamente, ruídos de buzinas estridentes e de roncos de motor. Havia um sinal de trânsito bem na esquina do hotel. Do quarto de Fábio se podiam ver os jardins do Palácio da República com enormes mangueiras, jambeiros e jaqueiras. Mais altas e majestosas só as palmeiras-imperiais enfileiradas ao longo da alameda central que cortava longitudinalmente o jardim e desaguava na praia do Flamengo.

37

FÁBIO SAIU DO HOTEL às sete horas da manhã, não tinha dormido um segundo. Cruzou, hesitante, as duas pistas em frente. Ônibus e táxis furavam o sinal. Pegou o caminho de pedras portuguesas com desenhos imitando as ondas do mar. Vinte metros adiante, jovens com uniformes de clubes de futebol, numa formidável algazarra, preparavam-se para o jogo. Pelas altercações, não havia unanimidade na distribuição dos jogadores por time; dois se trocaram as camisas exatamente no momento em que Fábio passava. Iniciou a travessia das pistas do aterro do Flamengo pela passarela. Parou no meio. Carros e ônibus, debaixo dele, apostavam ruidosa corrida. As grades de proteção da passarela eram frágeis, uma criança poderia despencar daquela altura e se espatifar no chão. "Se não morresse na queda, os pneus dos bólidos se encarregariam de lhe esmagar o crânio. Talvez é o que devesse acontecer comigo", pensou. Continuou a caminhada. Enfiou-se por um caminho entre folhagens gordurosas, palmeiras de folhas estranhas e variadas, árvores retorcidas, plantas espinhentas, hibiscos coloridos penetrados por beija-flores e pitangueiras carregadas. Um bando de maritacas se esgoelava numa amendoeira. Caminhou até o monumento a Estácio de Sá, em frente ao morro da Viúva. O Pão de Açúcar magnífico, pertinho, só separado dele por veleiros que singravam o espelho da baía. "Tenho que dar um jeito de ver Lázaro."

De Buenos Aires para Santiago, encontro com o companheiro da ASL, beijos, abraços, pranto, meu caminho continuava, o avião da Air France me esperava alguns dias depois, eu tinha que me encontrar, alguém ia aparecer na minha vida, a polícia agora já devia saber que eu não era o Wallace, não, porra, não pode acabar, Muriel, não vai acabar, sei que você vai voltar. É uma onda que se abateu sobre a gente, pensa em nós com indulgência, não dá pra se separar.

Voltou para a pista perto dos prédios e entrou num ônibus em direção à Zona Norte, morro do Adeus, Ramos.

O ônibus ia aos sacolejos pela avenida Brasil. Um cheiro nauseabundo vindo de uma refinaria de petróleo contribuiu para aumentar-lhe a acidez do estômago. Numa das paradas, em frente à construção mourisca do Instituto Oswaldo Cruz — Farida e Khaled iam gostar! —, embarcaram três jovens com instrumentos de percussão, batucavam e cantavam baixinho. O ônibus deixou para trás a pista de acesso à Universidade Federal do Rio de Janeiro na ilha do Fundão; já corria acompanhando o muro de uma base militar; à esquerda, no outro lado da avenida, imperava uma grande lanchonete de sanduíches americanos; placas indicavam Galeão e ilha do Governador. Fábio levantou-se e se aproximou do motorista, agarrado à barra fixada no teto do ônibus, equilibrando-se como podia. Conversaram. O motorista, solícito e prestativo, deixou-o, quinze minutos depois, no local estipulado. Fábio desceu com o ônibus ainda em movimento e agradeceu com um gesto enquanto dava alguns passos desengonçados e tentava manter-se de pé. Seguiu em direção à sede da associação esportiva e cultural onde podia encontrar os parceiros da força popular de apoio. Não foi difícil. O menino do assalto, o que tinha chamado Fábio de encagaçado, trabalhava numa birosca, a uns cem metros da sede da associação.

Barata, depois de uma hora e meia de espera, apareceu, sério. Fábio explicou, perguntou quais as saídas. Barata já estava fora do circuito da corrupção policial, lutava por melhores condições de vida no morro, por trabalho, dignidade e justiça social. Mas conhecia gente que dispunha de outros esquemas. Fábio foi à rua indicada, número 8, ao pé do morro, um tal de Tião Macaxeira. "Na Praça Mauá, mas por quê? Lá é difícil sair. É sem esquema. Tem que esperar ser julgado e depois a gente paga pra facilitar a fuga da penitenciária. Demora de um a dois anos. Mas tem como conseguir visita no cárcere da Mauá."

38

Fábio seguiu o esquema e pôde ver o amigo preso na delegacia da Praça Mauá, no meio de quarenta detentos, numa cela onde não caberiam mais de dez. Foi revistado; de metal só levava no bolso a chave da Vemaguete. É da família? Não, sou só amigo dele, tá bem, tem dez minutos! O encontro foi em pé, com uma grade no meio. Evitavam ser ouvidos. Falavam num canto da sala, baixinho, quase sussurrando.

— Me tira daqui, meu irmão, *s'il te plaît!*

— Já estou providenciando tudo, Lázaro, os companheiros da ASL vão nos ajudar. Você falou, Lázaro?

— Não, claro que não, porra! Aqui é horrível, Fábio. Todo mundo é currado, murmurou Lázaro, fungando, as lágrimas escorrendo. Estou todo machucado atrás, mano, me tira daqui, tá doendo. — Lázaro apertava as mãos de Fábio, implorando. Não entendo como e por que nos pegaram na rua Buenos Aires; só se alguém dedurou. Ou então a mulher da Caixa de Bonsucesso disse que ouviu *Brésil*, em francês, e aí foram procurar os brasileiros que moram na França e que entraram no Brasil recentemente. Quero sair daqui, Fábio, quero sair daqui, me salva, porra.

Lázaro suplicava, as lágrimas já abundantes, quase beijando as mãos do companheiro catarinense.

— Não sei como nos descobriram, Lázaro, não sei. Aguenta firme, companheiro. A gente vem te buscar. Ninguém entende por que você está na Polícia Federal e não na polícia do estado.

— Estou preso porque eu sou preto, ouviu, Fábio? É porque eu sou preto. Se fosse branco estava fora, como você — gemeu segurando os soluços, o rosto meio disforme pelos lábios esgarçados. — Me salva, mano, me tira dessa merda!

— As coisas vão mudar, se Deus quiser, Lázaro. A gente vai montar uma operação só pra te tirar daqui, segura as pontas, irmão. Depois de amanhã vem gente da ASL de São Paulo. Fala-se em mais sequestros de embaixadores pra trocar por prisioneiros políticos. Você entrará nessa, mas acho que vamos te tirar antes. De três a quatro dias, Lázaro, no máximo, você estará livre.

— Acredito, Fábio, acredito. E desculpa pela Melusina. Acho que tive culpa.

— Não teve não, deixa pra lá, aquilo acabou. Não tem importância. Ela tinha vagina dentada, lembra, Lázaro?

— Lembro.

Foi o único momento em que Lázaro sorriu. A conversa expirou logo. O tempo tinha acabado. Fábio despediu-se dizendo "em quatro dias no máximo, você estará solto,

Lázaro, prometo, você vai ver. O Sako deve estar ansioso pra comunicar o teu século", ainda brincou, e saiu, cambaleando, pelos corredores escuros e mofados da delegacia.

"Assim tão completamente és o primeiro. Só tive um namoradinho lá em Jaraguá, só um, de namorar de mãos dadas no portão. Fábio, me ama e me respeita pra sempre; é só o que te peço." Te mataram, Elke, os filhos da puta!, te mataram. Pétala de flor deflorada por aromas pontiagudos e desejos carnais desabrochados por cores sanguinolentas e pólens pegajosos. Te mataram. O cavalo sanho quis roubar os teus cabelos, ninguém conseguirá, ninguém, Elke. O perfume e a suavidade das mãos de Glorinha, o afago e o prazer intenso no hotel do Leblon, torturada, emagreceu vinte quilos, não consegue manter a cabeça reta, tentou suicídio. O vizinho do tio Célio morreu no mar, Fabinho, a baleeira virou, a lestada não poupou ninguém, os outros dois amigos também morreram; a manteiga derretida do Zequinha agora tem rompantes de cólera, ontem só porque eu chamei ele, brincando, de Manezinho da Ilha, ele respondeu Manezinho é o caralho e saiu batendo porta, a mãe quase teve um treco, mas pelo menos está na faculdade, andava por aí, de varde, estava na hora de fazer alguma coisa, trabalhando só por jornal não dava. Escreve, Fabinho, escreve, um abraço do Altair. Não era Muriel naquela noite no Luxemburgo, não podia ser. Fábio atravessou a rua — cuspiu várias vezes, achava que era sangue — em direção à praça em frente.

39

NA PRAÇA MAUÁ DIRIGIU-SE a um orelhão e, sem ficha, falou por longo tempo com Muriel. "Ninguém sabe que fui eu o assaltante do Banco do Brasil da Figueiredo Magalhães, não sabem o meu nome. Ninguém tirou fotos, todos os companheiros da operação morreram, só tem um, que ficou paralítico, mas que endoidou, todo mundo só conhece agora aquele episódio por versões e por ouvir dizer, eu não sou assassino, vamos morar juntos em Florianópolis, constituir família, passar férias nas Caldas da Imperatriz, a água sai quente da terra, a gente toma banho em enormes banheiras de mármore, é mais saudável que em Vichy, você vai gostar, vamos comprar uma casa de frente para o mar."

Fábio só pôs o fone no gancho porque um flanelinha que estava perto recomendou que desistisse — "esse telefone está quebrado há mais de dois meses". Seguiu a Rio Branco, o ouvido parecia sangrar, a barba crescida, pombos voavam por sobre a sua cabeça, olhou a placa da Rio Branco com Dom Gerardo, segurava o vômito, atravessou a Presidente Vargas, virou à esquerda, contornou o antigo prédio da Alfândega, passou pela estação das barcas de Niterói e se dirigiu ao cais perto do restaurante Albamar, onde continuava estacionada a Vemaguete. Entrou no carro e retirou uma caixa escondida sob o banco do motorista e o envelope que Lázaro lhe havia passado.

Andou alguns metros e sentou-se numa pequena escada que vai até a água. Segurava a caixa amarela com firmeza. Olhou-a demoradamente. Antes de abri-la, pensou em Muriel. "A filha da puta, foi a única que amei, aquela bernúncia! Muriel Sandrine Charlotte Leroux! Por quê? Ela não gostava de mim! Onde ela estará agora? Onde você está? Você me mostrou um pedaço de mim e agora, onde se meteu? O Altair e o Zequinha andam brigando, Fabinho, os dois querem a mesma coisa, parece cutelo disputando flor com abelha, aquela porqueira daquela polícia ficou de passar de novo, o senhorio quer aumentar o aluguel da casa; pra eles a gente deve passar a vida comendo só jacuba; pra uns tudo, pros outros a fossura. Quando as minhas duas extremidades começarem a se tocar, Muriel, uma imagem vai querer suplantar a outra, como um decalque, impossível ter certeza qual delas vai ficar por cima, a emoção me fragiliza, em contrapartida me deixa como sou, a razão me fortalece mas não me reconheço mais, como sou visto de fora? Qual das imagens é vista por você?

Fechou os olhos. Mergulhou num sonho com ondas revoltas e ânsias envoltas em lençóis malhados de vinho açucarado e de borras de um bege esmaecido. Faltava-lhe ar. Uma falta de ar tangenciando de prazer um espaço mobiliado por ninfas, uvas, faunos e hidroméis.

Um ruído de motor e hélices interrompeu-lhe o pensamento. O avião, preparando-se para pousar no aeroporto Santos Dumont, quase raspava o teto da barca de Niterói.

40

ABRIU A CAIXA DEVAGAR. O azul do céu e do mar dos selos riscou o ar. Fixou o olhar no objeto que apontava uma solução, fechou a caixa, levantou, andou em direção à estação das barcas, se arrastando, uma tremedeira vinha de baixo para cima, os ouvidos latejavam, trouxe o Fabinho?, trouxe sim, ele e o São Judas Tadeu, uma sensação de pão duro na boca, parecia sair um líquido dos ouvidos, era sangue?, quer mexilhão, amigo? A lata, negra das labaredas do fogo improvisado sobre os resquícios de pés de moleque do píer da Praça XV; os mexilhões cozinhando, não dá doença não, moço, pesco e cozinho eles aqui há quase trinta anos, vendo pros restaurantes perto, vai de cachacinha, amigo? Não, muito obrigado, senhor pescador, já bebi e comi muito. O dono da loja de parafusos é pessoa de fiança, Fabinho, agora a gente vê bem, vai dar aumento de salário pro Altair, a Anelise, lembra? Ganhou neném, o tio Manuel continua transportando mercadorias no carro de boi lá pra dentro da ilha, está velhinho, coitado, mas ainda corta galho de cambatá pra fazer bodoque. O pai foi consertar a manjarra no engenho de farinha do seu Basilício; continua descanteando madeira por aí, é mais do que uma profissão, é a cachaça dele; o Zequinha ontem me deu um beijo, não desagradeço, mas preferia que fossem mais vezes e com mais naturalidade. As barcas de Niterói indo e voltando, os marines postados na proa, prontos para invadir a cidadela onde coziam os mexilhões, dava pra sentir o resfolegar, o silêncio ofegante do ataque iminente; obrigado amigo, vou pro meu sossego, minha mulher me espera, só vim ver como ia a vida aqui desse lado, vai indo bem, seu moço, mexilhões e peixes miúdos, quando vi o senhor chegando logo dei na trilha, esse quer ver os mexilhões e a imagem de alguém na fumaça da fervura, vai à luta moço, vai dar tudo certo, até amanhã e obrigado pela oferta dos mexilhões e da cachaça, não foi nada, vai com Deus, seu moço.

Fábio deixou o envelope no chão, perto do pescador, e voltou lentamente à sua escada. Sentou. Olhou a caixa. A cor dos olhos de Muriel. Abriu-a. Um cotovelo cromado apareceu. A ponta avançando ameaçadoramente. Segurou a coronha do revólver. Introduziu, trêmulo, o cano na boca; no oco do mundo. Por aquele vão quente e úmido penetravam e se fixavam raízes que davam vida a frases viçosas e fertilizavam ideias copadas. Apontou a arma para a água. Voltou para a boca. Repetiu o gesto várias vezes. Lá pra dentro, da água e da boca, razões viscejavam e eivavam-se emoções. O garçom corcunda do restaurante ouviu um estampido surdo.

NOTA

O militante baiano-parisiense da ASL foi libertado em 23 de dezembro de 1977 e hoje administra uma pousada em Mauá, no interior do estado do Rio de Janeiro. É casado com Maria José Buonnagura Costa, com quem teve dois filhos, um menino e uma menina (Maurício e Stênia). Conforme suas próprias palavras, está escrevendo um livro sobre toda a história da Aliança Socialista Libertadora. Fábio nunca foi encontrado. Muriel está casada com um francês e é professora de Português numa universidade do sul da França.

Este livro foi composto na tipologia Minion Pro Regular, em corpo 11,5/16, e impresso em papel off-white 80g/m² no Sistema Cameron da Divisão Gráfica da Distribuidora Record.